SAURAS-TU T'ÉCHAPPER ?

ESCAPE

UNE AVENTURE DE NYSSA ET BEBTI

Écrite par Lylian
Illustrée par Yohan Colombié-Vivès

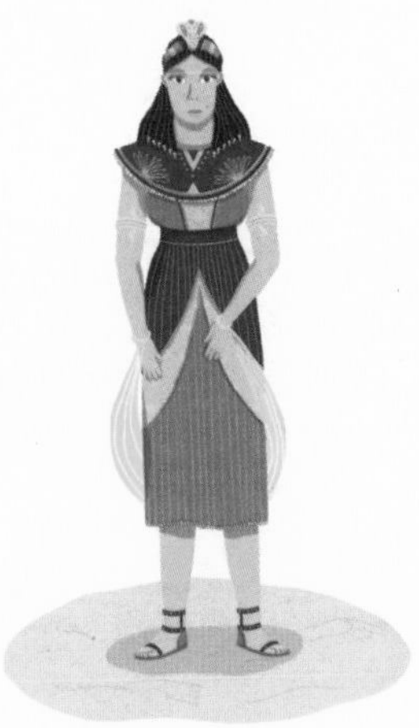

Glénat jeunesse

Couvent Sainte-Cécile - 37, rue Servan - 38000 Grenoble
Loi 49956 du 16 juillet 1949 sur les publications destinées à la jeunesse

ISBN : 978-2-344-03040-0
Dépôt légal : octobre 2018

Achevé d'imprimer en Espagne en septembre 2018 par Graficas Estella,
sur papier provenant de forêts gérées de manière durable.

ESCAPE

Prisonnière d'une pyramide !

Parviendras-tu à déjouer les pièges diaboliques de la pyramide du dieu Amonet ?
Tourne vite la page pour commencer l'aventure.

COMMENT ÇA MARCHE ?

Deux rabats avec :

Une carte pour te repérer

Des objets pour progresser dans l'histoire

Des indices pour t'aider à avancer

Pas besoin de papier ni de crayon !

Il y a bien longtemps,

Sous le soleil brûlant de ce matin d'été, une immense pyramide aux reflets dorés s'élève devant toi. En retard à cause de ton chameau malade, tu sais que tu vas manquer le début de la cérémonie.
Aujourd'hui est un grand jour pour la reine Cléopâtre. Elle doit faire la paix avec Tefnut, le grand prêtre d'Amonet, le dieu Crocodile.
Alors que tu arrives devant l'impressionnant édifice, tu descends de ta monture et tu cours à toute vitesse vers l'entrée. Juste devant toi, Bebti, ton sapajou jaune et fidèle compagnon, te lance de petits cris qui signifient sûrement : « Dépêche-toi ! »
Alors que vous arrivez tous les deux devant la grande entrée, les prêtres guerriers d'Amonet vous bloquent le passage. Personne n'a le droit de s'engouffrer dans la pyramide.

Afin de prouver qui tu es, tu montres aux gardes le collier que tu as autour du cou auquel est accroché une magnifique amulette en or en forme de scarabée, et tu déclines ton identité : tu es Nyssa Uhmi, tu as 22 ans et tu es apprentie médecin et dame de compagnie de la reine Cléopâtre.
Les gardiens hésitent un instant mais ton pendentif les impressionne.

CETTE AVENTURE !

en Égypte ancienne...

Ils te laissent passer car ils comprennent que tu fais partie de l'entourage de leur reine. En revanche, ils t'avertissent que personne ne pourra t'accompagner jusqu'à la salle où se tient la cérémonie. Jouant un peu la comédie, tu assures aux gardes que tu peux te débrouiller toute seule. Tu entres dans le ventre de la gigantesque pyramide qui n'attend que toi.

Dans ce livre, tu vas pouvoir explorer la pyramide et tenter de t'en échapper. Pour cela, tu pourras :

- Fouiller les salles où tu te trouves.
- Combiner deux objets.
- Demander l'aide de ton petit singe Bebti.
- Demander conseil au dieu Râ (mais seulement en cas d'absolue nécessité).

Quelles actions

Pour explorer la pyramide, tu as de multiples possibilités.

La carte

Grâce à la carte disponible sur le rabat de ton livre, à gauche, tu vas pouvoir passer d'une pièce à l'autre afin d'explorer la pyramide et de progresser dans ton aventure. Pour savoir où aller, rien de plus simple : regarde le numéro de la pièce que tu veux visiter et rends-toi à la page correspondante.

Lorsque tu es dans une salle et que tu peux passer dans une autre sans avoir à ouvrir de porte ou à trouver un code, le numéro de cette nouvelle pièce est aussi indiqué sur la page que tu es en train de lire.

Tes actions

À certains moments, il te sera possible de réaliser des actions particulières. Lorsqu'on t'en donne le choix, rends-toi à la page qui correspond à l'action que tu as choisie.

Combiner des objets

Au cours de l'aventure, tu vas trouver des objets (que tu retrouves dans ton inventaire, **page 164**) et faire des rencontres qui te permettront de les utiliser. Pour cela, tu dois juste choisir les deux que tu veux utiliser ensemble. Regarde dans le tableau sur le rabat de droite et trouve les deux objets que tu as choisis (il y en a un dans une ligne et un dans une colonne). Au croisement, tu trouveras le numéro de

peux-tu faire ?

la page à laquelle te rendre pour savoir ce qu'il se passe quand tu les combines…

Ton ami Bebti

Bebti est singe, un sapajou jaune plus exactement. Malicieux et malin, il est aussi lâche et peureux. À certains moments et dans certaines pièces, tu pourras lui demander son aide, afin qu'il explore la pièce dans laquelle tu te trouves ou qu'il te permette d'avancer. Un petit hiéroglyphe de singe dans la marge t'indique à quelle page te rendre dans ces cas-là. Mais fais attention, Bebti pourrait te causer des problèmes car il est souvent maladroit.

Le dieu Râ

Déification du soleil, Râ est l'un des principaux dieux de l'Égypte. C'est lui qui, sur la barque solaire, traverse le ciel durant la journée avant de franchir l'Occident. Dans certaines salles, tu vas pouvoir faire appel à sa sagesse pour te guider. Un petit hiéroglyphe dans la marge t'indique à quelle page te rendre. N'utilise ses conseils que si tu es totalement coincé.

Tu connais maintenant les grands principes qui vont te permettre de vivre cette aventure.

Ton périple commence dans l'entrée de la pyramide, **page 1**.

ESCAPE

LIVRET D'AVENTURE

2

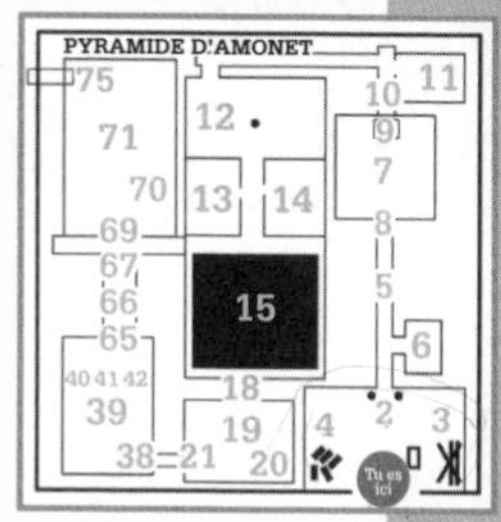

La première pièce de la pyramide est une immense salle qui contient des matériaux de chantier. Ici et là traînent des outils, des poutres de bois et des pierres taillées. La semi-obscurité ne te permet pas de bien distinguer tous les recoins de l'endroit.

Tout au fond de l'immense pièce, recouvertes d'or, deux immenses statues du dieu crocodile Amonet marquent l'entrée du couloir obscur qui s'enfonce au cœur de la pyramide.

3

Un courant d'air glisse sur ta peau, tu frissonnes. Pour te rassurer, tu touches l'**amulette scarabée** que tu as autour du cou et que tu tiens de Cléopâtre.

Alors que tu passes près d'un établi en désordre, tu trouves une carte (*que tu peux voir sur le rabat de gauche de ton livre*). Dessus est dessiné le plan de la pyramide.

Tu décides de garder cette carte pour te repérer. Grâce à elle, tu pourras peut-être rapidement trouver ton chemin jusqu'à la grande salle avant que la cérémonie ne débute.

Lorsque tu vois le symbole de l'œil d'Horus dans la marge d'une page, rends-toi **page 166** et trouve dans la liste des indices le numéro de la salle dans laquelle tu te trouves. Ce numéro est aussi indiqué sous l'œil d'Horus, à

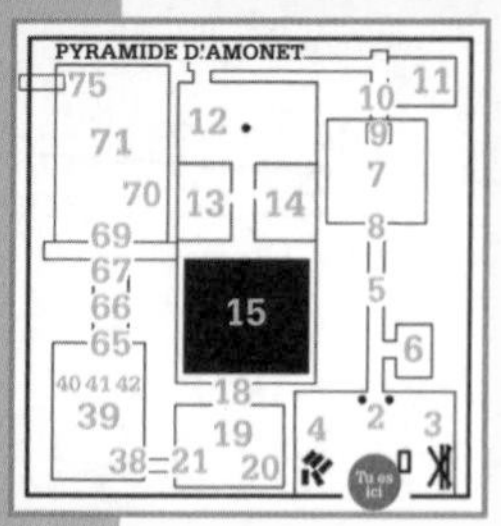

droite du numéro 166. Le dieu Râ te donnera alors un indice précieux. Exemple : rends-toi **page 166** et trouve le numéro **1**, c'est le numéro de cette page, dans les indices.

Petit conseil : n'utilise les indices que si tu es vraiment coincée.

114

Dans certaines pièces, tu peux demander à ton singe Bebti de fouiller. Petit et malin, ton compagnon pourra trouver des objets cachés ou des passages secrets. Mais attention, il pourra aussi arriver qu'il déclenche des pièges. Si tu veux que Bebti fouille cette salle, **rends-toi page 114.**

IMPORTANT
Tu seras sans doute amenée à repasser par des zones déjà explorées. Cette petite ligne de motifs colorés te l'indique. Dans ce cas-là, ne lis pas le texte du haut (tu l'as déjà lu !) et choisis directement où te rendre en suivant les numéros en bord de page.

L'ENTRÉE DU GRAND COULOIR

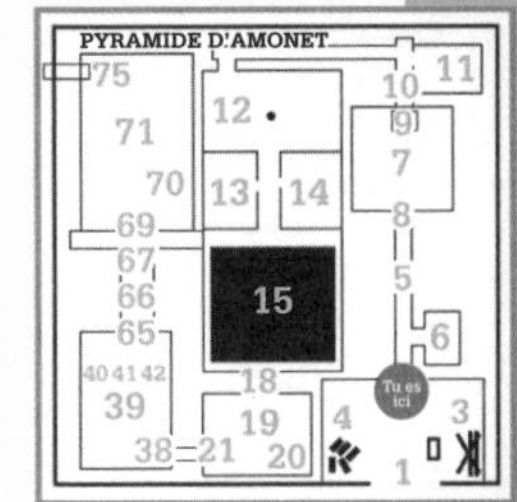

Alors que tu t'avances vers le grand couloir obscur se trouvant devant toi, tu as la sensation d'être observée. Marquant l'entrée, les deux immenses statues du dieu Amonet te dominent. Leur corps d'homme gigantesque avec leur tête de crocodile aux dents acérées et aux yeux effilés forment des chimères qui seraient terrifiantes si elles étaient vivantes.

4 ◄ - - -

- - - ► 3

Tu te demandes pourquoi Cléopâtre a décidé de faire la paix avec le grand prêtre d'Amonet, l'antipathique Tefnut, puis le souvenir de ta mission te revient. Tu dois être là, auprès de la reine, quand elle remerciera les sculpteurs et les artisans qui ont œuvré pour réaliser la nouvelle statue du dieu Amonet. Elle te l'a demandé. C'est toi qui transportes les amulettes scarabée en jade, récompenses royales pour les sculpteurs. Tu passes les statues immobiles qui ne te font presque plus peur et tu t'engages dans le couloir.

À peine as-tu posé le pied dans le long corridor que tu te sens mal à l'aise. Il n'est pas éclairé. Il fait noir comme dans une nuit sans espoir et tu te demandes comment tu vas trouver ton chemin sans lumière.

▼ 1

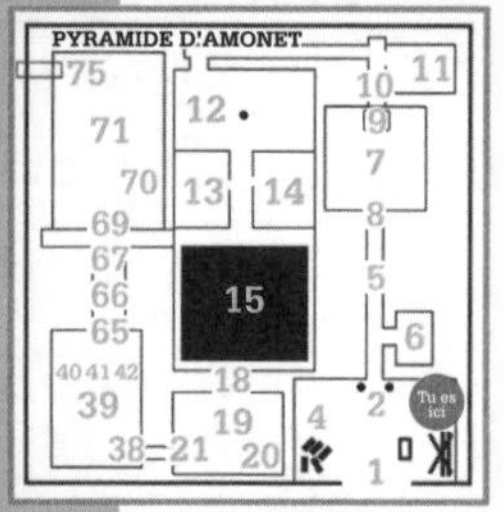

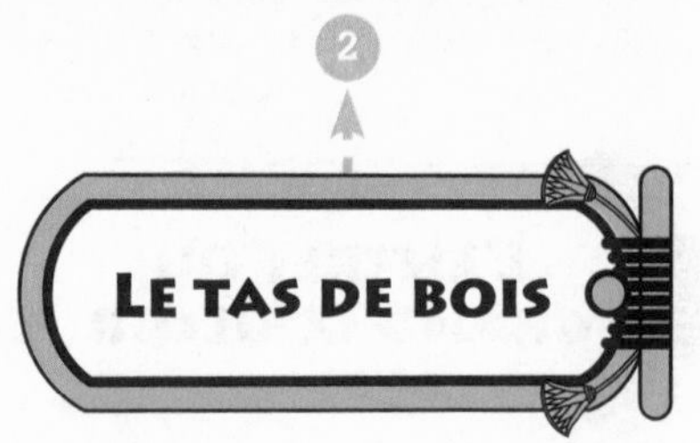

LE TAS DE BOIS

En vrac, de gigantesques poutres de bois sont entreposées dans le coin de la grande salle. Bebti te regarde avec circonspection et se met à râler, se demandant probablement ce que tu fabriques au lieu de foncer directement vers la salle de cérémonie.

Agacée par ton compagnon poilu, tu lui rétorques que tu cherches une torche et qu'il ferait bien de t'aider.

Lorsque tu vois le symbole dans la marge, tu peux demander à ton petit singe Bebti de fouiller la pièce pour toi.

3

2

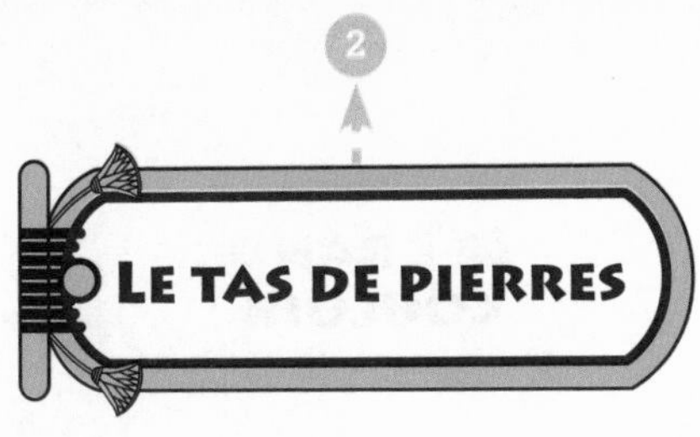

LE TAS DE PIERRES

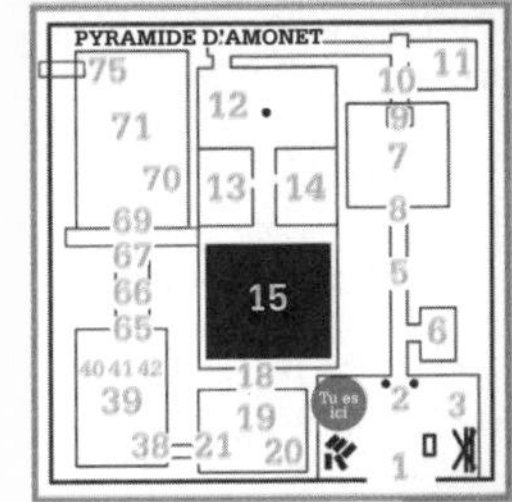

Les ouvriers sont visiblement partis à la hâte. Ils n'ont pas déblayé les grosses pierres issues de la sculpture des statues. Elles sont maladroitement entassées et menacent de tomber.

3

Avec précaution, vous cherchez de petits morceaux de pierre à feu car vous savez que les ouvriers en utilisent parfois pour allumer les torches et les foyers. Par terre, tu trouves deux **pierres à feu**. Elles sont usagées mais tu penses qu'elles peuvent encore servir. Tu peux retrouver les objets de ton inventaire en **page 164**.

1

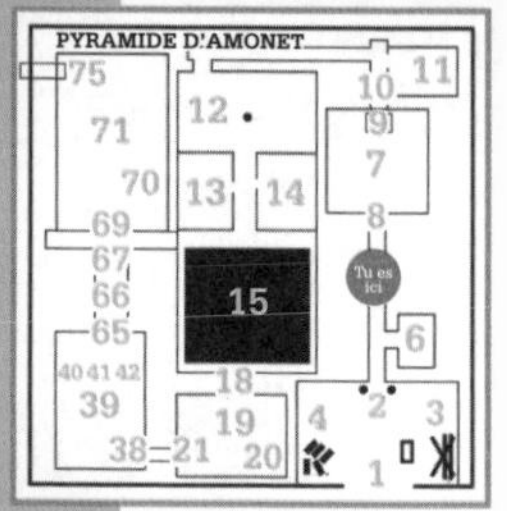

7

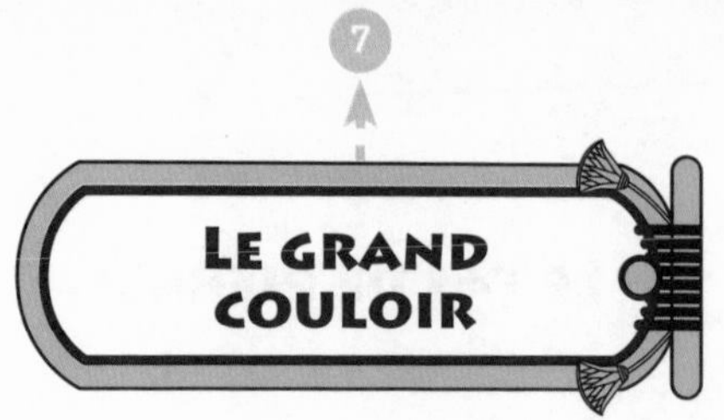

Tu ne peux pas entrer dans le couloir si tu n'as pas trouvé de quoi éclairer ton chemin. Retourne **page 1, 3 ou 4** pour reprendre tes recherches. Si tu as de quoi éclairer ta route, tu peux lire la suite de cette page et continuer ton aventure.

Ta torche enflammée à la main, tu es bien décidée à braver l'immense couloir obscur. Rassurée maintenant que tu y vois plus clair, tu passes devant les deux immenses statues d'Amonet qui ne te font plus peur. Comme pour se moquer d'elles, Bebti, qui est monté sur ton épaule, leur tire la langue.

6

Alors que tu t'avances dans le gigantesque corridor, la sensation de malaise que tu as eue tout à l'heure a disparu.

Il te semble apercevoir de la lumière, là-bas, tout au fond du couloir. En tendant l'oreille, tu crois même entendre des rires. L'un d'eux t'est familier. C'est celui de la reine Cléopâtre, ton amie.

2

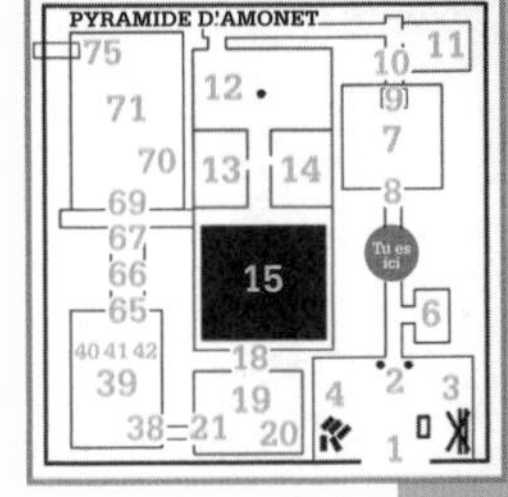

Comme à ton habitude, tu passes la main sur l'amulette dorée qui pend à ton cou. Tu en connais chaque rondeur, chaque égratignure. Cet objet précieux, c'est la reine elle-même qui te l'a donné le jour de ton entrée à son service.

C'était il y a dix ans. Tu avais douze ans et, déjà, tu avais fait le serment de soigner les pauvres et les nécessiteux. Touchée par ton courage et ta dévotion, la reine t'avait fait appeler et t'avait demandé de rester auprès d'elle.

À condition de pouvoir continuer ta mission auprès des plus pauvres, tu avais accepté. Alors que tu arrives au tiers du corridor, tu passes devant une entrée sur la droite. Cette pièce est marquée du hiéroglyphe de l'eau.

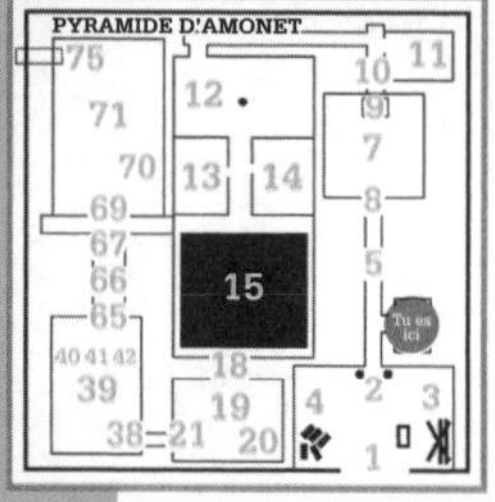

LA SALLE D'EAU

Un bruit doux d'eau qui coule arrive à tes oreilles. La salle est somptueusement décorée de hiéroglyphes colorés et de figures divines. Le sol est recouvert d'un carrelage percé de trous.

Au centre de la pièce, dans une magnifique vasque carrée, de l'**eau pure** s'écoule. Tu remplis ta gourde, qui était vide. Sur le rebord de la vasque, tu remarques de petits signes gravés maladroitement. Tu peux prendre le temps de les regarder de plus près en te rendant **page 23**.

9

La salle de cérémonie

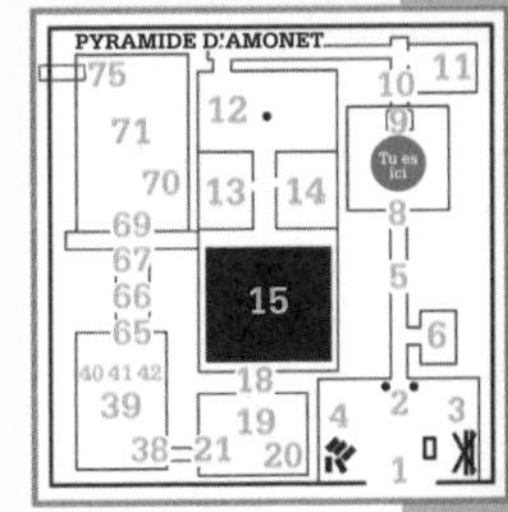

La seconde partie du grand couloir te paraît interminable et ne correspond en rien au plan que tu as trouvé dans la grande salle d'entrée. Les ouvertures censées se trouver dans les murs n'y sont pas.

Alors que tu approches de plus en plus, tu aperçois enfin les prêtres d'Amonet. L'un d'eux, qui a remarqué ta présence, te fait signe d'approcher. Rapidement, tu éteins ta **torche** en l'enfonçant dans le mur, dans un trou dédié à cet effet. Tu la gardes pour le voyage retour. Tu entres dans la grande salle de cérémonie, baignée de lumière.

Contre le mur du fond, une statue gigantesque représentant

8

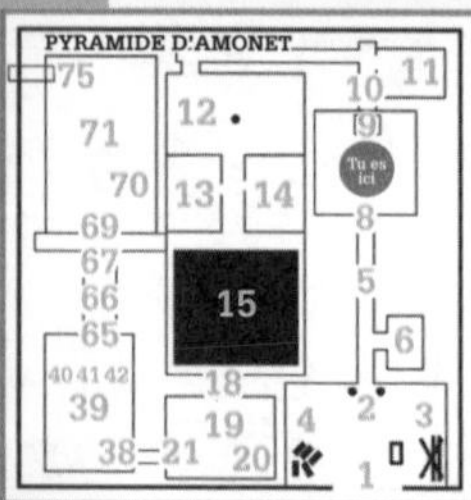

Amonet, le dieu crocodile, domine la pièce. À ses pieds se trouve un trône en or. Bien installée dessus, Cléopâtre est resplendissante dans son habit d'argent et de lin. Sentant ta présence, elle te regarde et te fait signe d'approcher. Sous le regard de tous, tête baissée, tu t'avances vers la reine.

Lorsque tu es tout près d'elle, elle te chuchote : « Nyssa, où étais-tu encore, petite coquine ? » Gênée, tu n'oses pas lui répondre devant tout le monde et tu lui montres la pochette en lin qui contient les amulettes de jade. Cléopâtre te remercie et te demande de les porter au grand prêtre du temple, Tefnut.

Lentement, devant l'assistance composée des prêtres d'Amonet et des artisans que la reine veut remercier, tu descends les quelques marches qui te séparent du sol. Devant toi se tient Tefnut, grand prêtre du dieu Amonet et ancien adversaire de Cléopâtre. Chauve, l'homme arbore une toge de lin parcourue de bandes rouges. Son regard noir est rehaussé par un maquillage sombre.

En lui tendant les amulettes de jade, tu sens son odeur. Elle te rappelle la mort.

8

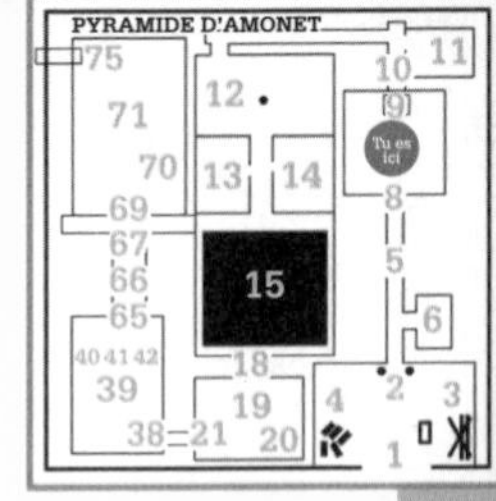

Ta mission accomplie, tu recules d'un pas et entends avec passion et émotion Cléopâtre, reine d'Égypte, honorer les artisans, sculpteurs de cette nouvelle statue, tandis que le grand prêtre leur offre les amulettes. Heureuse de participer à une telle cérémonie, tu observes avec grand intérêt les gens qui se trouvent dans cette pièce alors que, parmi les invités, des serviteurs distribuent des boissons dans des gobelets d'argent.

Appelée par la reine, tu t'approches du **trône**. À côté de celui-ci, sur une petite table, se trouvent une amphore et un gobelet en or. Cléopâtre t'invite à lui servir la boisson partagée par tous.
Quand tu verses la liqueur dans le gobelet, un doute t'assaillit. Tu connais cette odeur, cette couleur écarlate, cette texture. Mais la reine te regarde et tu n'as pas le temps de te poser d'autre question. Tu tends le gobelet étincelant à la reine, qui le lève en signe de victoire. Dans la salle, tous les invités font de même, les prêtres, les gardes, les bâtisseurs. Même les serviteurs ont été invités à profiter de l'occasion, à ta grande surprise.

C'est alors que tu te souviens de la véritable nature de la boisson que tu viens de servir à la reine : c'est de la liqueur d'acacia. À petite dose, le breuvage peut être agréable. À forte dose, il peut

8

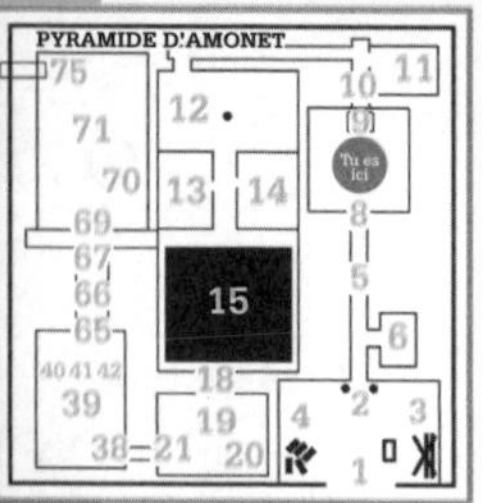

donner des hallucinations. C'est aussi une liqueur à l'odeur très forte, qui sert parfois à cacher… du poison. Avant que tu ne puisses réagir, Cléopâtre a porté la coupe à ses lèvres. Tu te jettes sur la reine et bouscule sa main. Le gobelet s'envole et tombe sur le sol. La souveraine te regarde, étonnée, puis, alors qu'elle est sur le point de te sermonner, tu la vois perdre l'équilibre avant de tomber dans tes bras, inanimée.

Tu regardes dans la grande salle. Tous les invités sont en train de quitter la pièce. Tous sauf Tefnut, le grand prêtre du dieu Amonet, qui te lance un regard noir.
Avant que tu ne puisses réagir, il s'enfuit lui aussi vers le grand couloir. Lorsqu'il arrive à l'entrée du corridor, Tefnut appuie sur un symbole dans le mur puis s'enfonce dans l'obscurité.

Une immense dalle de pierre vient obstruer le couloir qui t'aurait permis de sortir. Très inquiet, Bebti se met à hurler et touche la main de Cléopâtre. Usant de tes compétences médicales, tu tâtes le pouls de ta reine. Il est très faible. Tu cherches la petite bourse d'herbes médicinales que tu portes toujours sur toi. Tu te rends compte que tu l'as oubliée sur ton chameau.

8

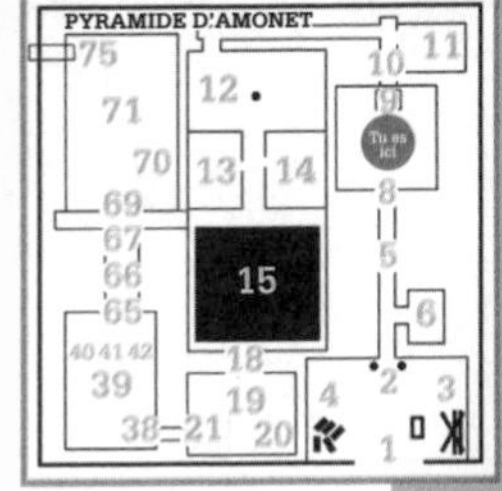

Avec précaution, tu prends le **scarabée en or** que tu as autour du cou et tu appuies sur sa carapace. Le pendentif s'ouvre. À l'intérieur, tu trouves une petite fiole, un fortifiant naturel donné par ton maître de médecine. Avec précaution, tu débouches la minuscule fiole et en verses le contenu dans la bouche de la reine.

Tu te dis qu'avec un peu de chance Cléopâtre, ta reine, ton amie, vivra encore quelques heures de plus grâce au fortifiant. Le temps pour toi d'aller chercher de l'aide. Mais comment sortir d'ici alors que la pièce est désormais scellée ?

Tu regardes l'intérieur de la pièce. Sobre, l'endroit n'est éclairé que par des feux placés en haut d'immenses colonnes. Sur les murs, des frises sculptées racontent visiblement une histoire en hiéroglyphes. Au fond de la pièce, quelques marches permettent d'accéder au trône en or de Cléopâtre.
Il n'y a aucune issue visible. Au pied du trône, Cléopâtre repose, inconsciente.

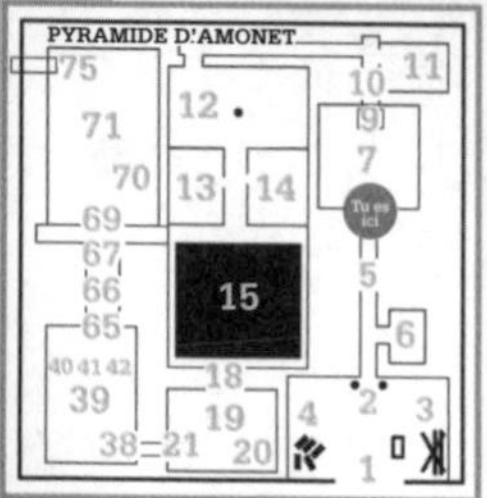

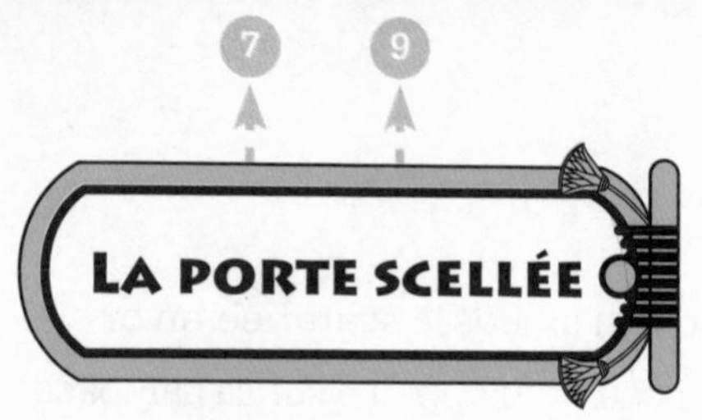

LA PORTE SCELLÉE

Près de la porte scellée, tu cherches une ouverture ou un système pour débloquer l'immense dalle qui obstrue désormais le passage. Sur le sol, tu trouves un **glaive,** probablement perdu par un des gardes dans leur fuite. Tu t'en empares. La lame, parfaitement brillante, n'a semble-t-il jamais servi. Tu te vois dedans. Perché sur ton épaule, Bebti se reflète aussi dans la lame. Il te tire la langue et ça te fait rire.

Sur le mur, tu remarques le symbole sur lequel Tefnut a appuyé lors de sa fuite : un hiéroglyphe en forme de crocodile.

Tu peux visiter la salle de cérémonie, retourner auprès du trône ou appuyer sur le symbole de crocodile. Dans ce cas, rends-toi **page 24.**

Le trône de Cléopâtre

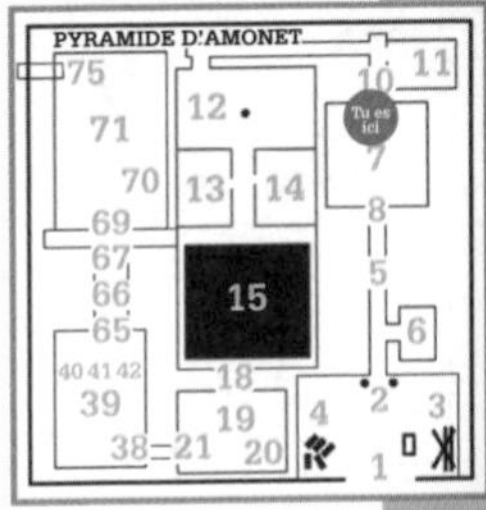

Tu approches du magnifique **trône** sur lequel était assise la reine. Tu te dis qu'avec un peu de chance il cache une trappe ou un mécanisme qui te permettrait de t'échapper. Au premier coup d'œil, tu ne trouves rien. Le trône est magnifique, tout en or et décoré de petits dessins. Au centre du dossier, un symbole d'œil d'Horus est creusé, comme si un bijou ou une pièce métallique y manquait afin qu'il soit parfait. Si tu as envie d'observer plus attentivement le **trône**, rends-toi **page 25**. Tu peux également retourner auprès de Cléopâtre, **page 26,** ou prendre le temps d'observer plus attentivement le symbole d'œil d'Horus, **page 27.**

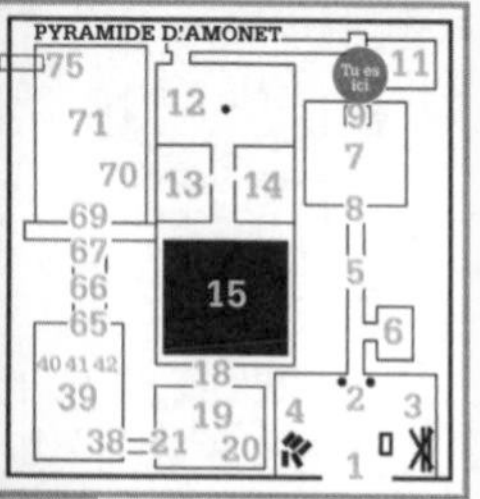

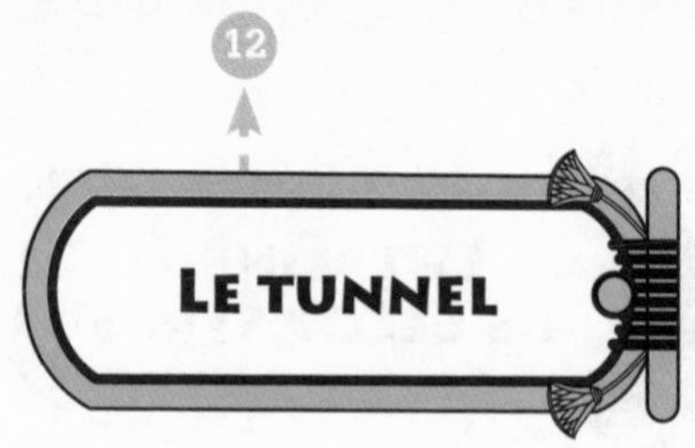

LE TUNNEL

La peur au ventre, tu arrives au pied des marches, qui donnent sur un petit tunnel poussiéreux.

Au mur, des scarabées en pierre luminescente éclairent ton passage. Sur ton épaule, Bebti tremble en lançant de petits cris inquiets. Tu rassures ton ami alors que tu arrives dans une petite pièce dans laquelle se trouve une **grande fresque de hiéroglyphes, page 11**.

LA FRESQUE DE HIÉROGLYPHES

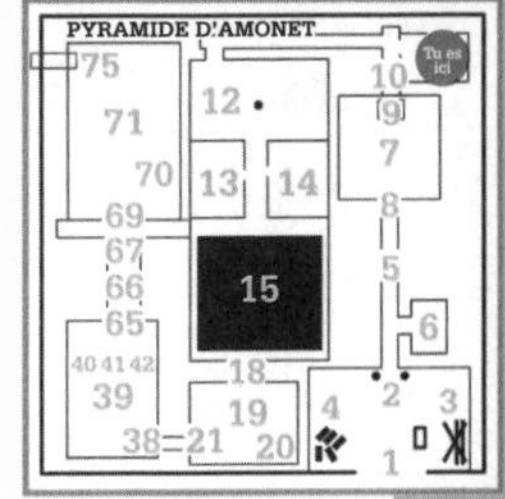

Devant toi, sur un grand mur, s'étire une grande **fresque de hiéroglyphes** en couleur. Tu reconnais le cartouche principal qui désigne le nom du dieu crocodile : les signes sont dans l'ordre, c'est **AMONET**.

En t'approchant, tu remarques qu'il est possible d'enfoncer les hiéroglyphes qui forment le nom du dieu.

Tu peux continuer ton exploration de la pyramide ou tenter d'appuyer sur les hiéroglyphes, **page 28.**

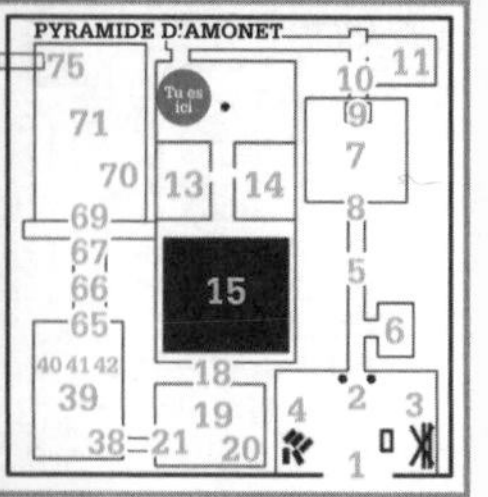

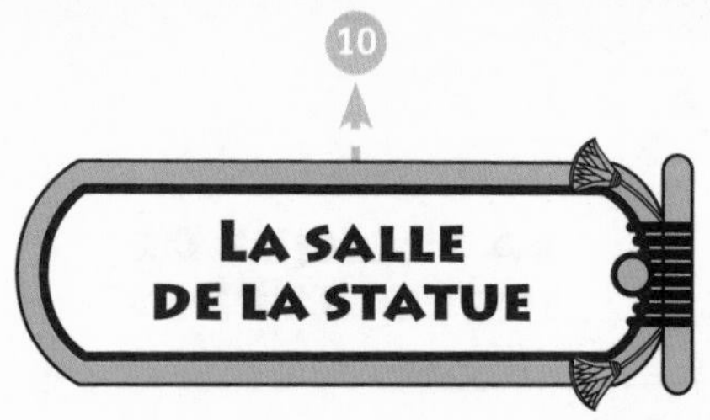

LA SALLE DE LA STATUE

Tu arrives dans une immense salle. Il y a des tas de sable un peu partout, ce qui te paraît légèrement étrange. Un réseau de miroirs placés sur les murs reflète un rayon de lumière qui provient du plafond et qui, au bout de sa course, touche le sol au centre de la pièce. Devant toi, une immense statue du dieu Râ tient un disque en or scellé dans ses mains de pierre.

13 14

Prudemment, tu avances au centre de la pièce et touches le **rayon de lumière**. Tu penses qu'il te faudrait un miroir ou un objet réfléchissant pour jouer avec le rayon.

Contente d'être enfin dans une grande pièce, tu consultes ton plan et tu t'aperçois que tu peux te rendre dans plusieurs salles différentes à partir de celle-ci.

15

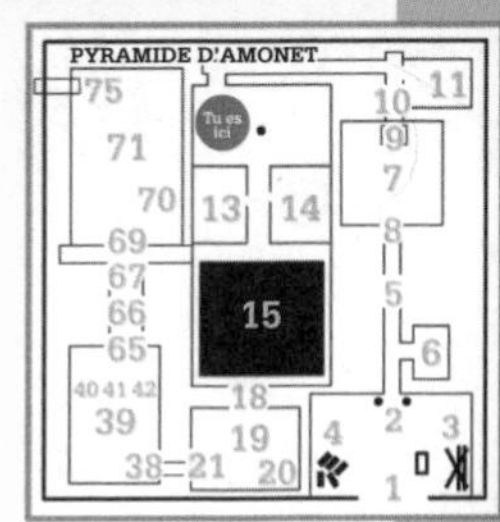
PYRAMIDE D'AMONET
75
71
70
69
67
66
65
40 41 42
39
38
21
20
19
18
15
13
14
Tu es ici
11
10
9
7
8
5
6
2
3
4
1

118

166-12

12

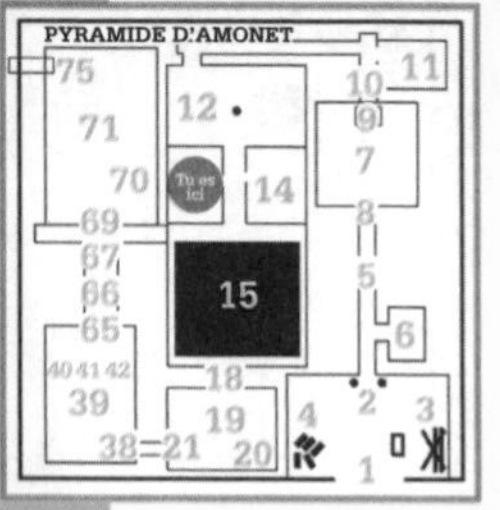

12

LA SALLE DE REPOS

Une pièce exiguë. Quelques nattes de paille couvrent le sol. Cet endroit devait être la pièce où se reposaient les ouvriers qui ont construit l'intérieur de la pyramide. Sur l'une des nattes, une personne est allongée. Elle te tourne le dos et semble dormir. Elle est recouverte d'une couverture. Tu peux la laisser se reposer et reprendre ton exploration ou la réveiller pour qu'elle t'aide, **page 29**.

14

15

12

La salle d'armes

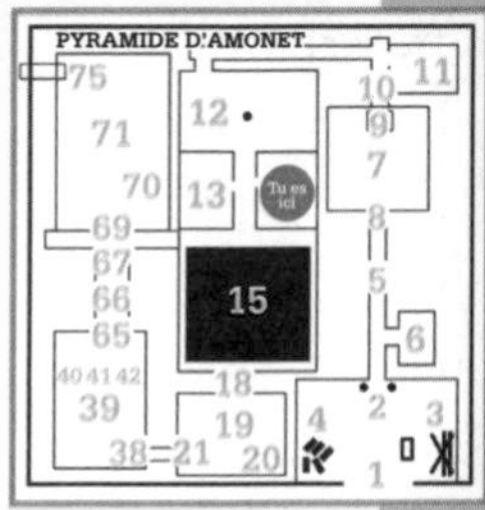

Sombre et poussiéreuse, la salle d'armes est en désordre. Dans les râteliers de bois qui devraient normalement contenir des lances, des boucliers et des glaives, il n'y a rien sinon de la poussière. Tu avances un peu dans la pièce, essayant de voir si tu ne trouverais pas un objet qui te serait utile dans ta quête. Ton pied heurte quelque chose. Tu te penches : sous le sable, tu trouves un bouclier, dont tu t'empares.

Alors que tu soulèves la lourde pièce de métal qui arbore le disque solaire du dieu Râ, tu te rends compte qu'elle se fait plus légère. Dans l'obscurité, le **bouclier de Râ** brille de lui-même, éclairant l'endroit où tu te trouves. Rien d'autre dans cette pièce n'attire ton attention.

15

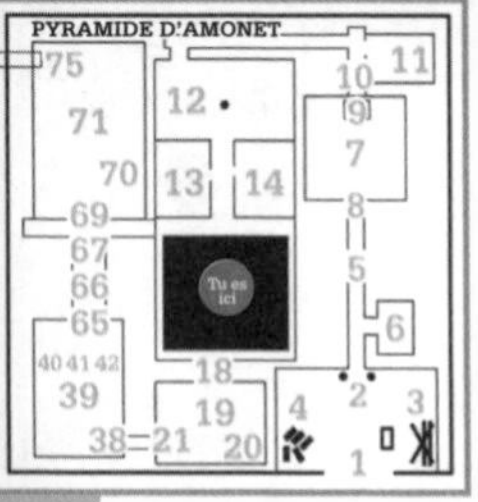

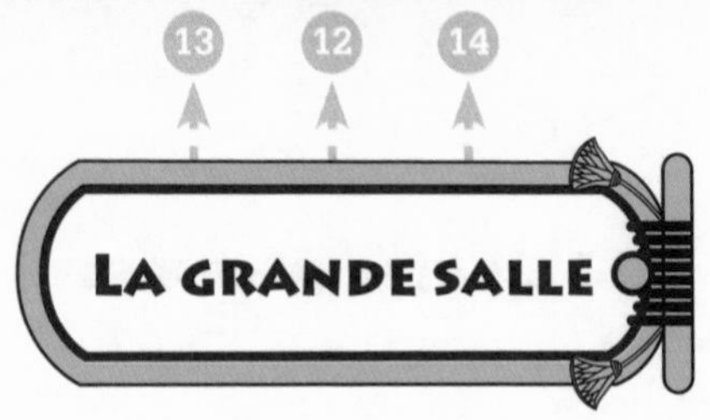

La grande salle

Gigantesque, la grande salle porte bien son nom. C'est une immense esplanade carrée qui s'étend sur plusieurs mètres dans toutes les directions. Au-dessus s'étire un plafond sombre dont tu ne vois pas le détail. La lumière qui règne ici ne permet pas de bien distinguer le sol, qui semble être couvert de sable. Au bout de la pièce, une porte ouverte donne à voir une salle lumineuse, baignée de soleil. Si tu souhaites prendre quelques minutes de réflexion, tu peux attendre **page 31**. Si tu es sûre de toi et que tu veux traverser l'étendue de sable pour rejoindre la salle lumineuse, rends-toi **page 30**.

Le scorpion

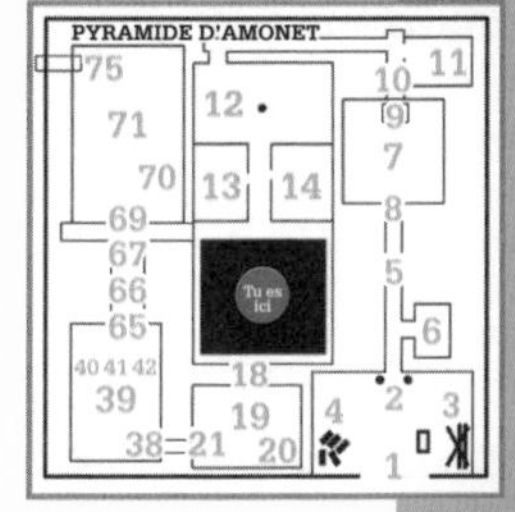

Un gros monticule de sable se soulève et laisse apparaître un scorpion aussi haut que toi et gros comme une vache. Impressionnante, la créature perçoit immédiatement ta présence et te barre la route vers la sortie, menaçant de te piquer de son dard. Derrière le scorpion, Bebti se cache dans un coin de la pièce. Armée de ton courage, tu peux décider de combattre le scorpion, **page 32**, ou tout faire pour éviter le combat, **page 33**.

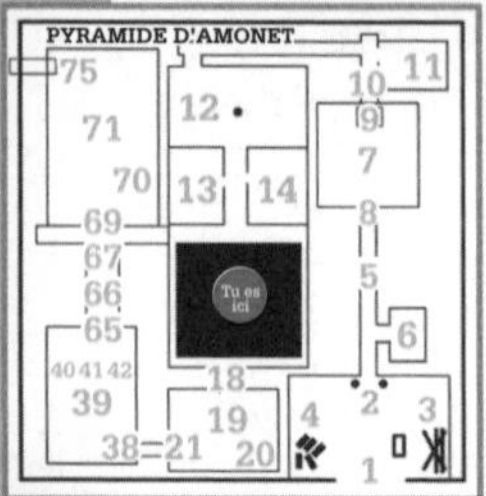

LA HERSE

Alors que tu cours à pleine vitesse pour échapper au scorpion, tu entends un bruit mécanique. Au-dessus de toi, une herse bardée de pics et qui couvre toute la surface du plafond commence à descendre vers le sol. Si le scorpion ne te tue pas, tu vas t'y faire embrocher. Tu jettes un coup d'œil au monstre, qui ne semble pas conscient du danger. Il se rapproche très vite de toi. Tu peux fuire vers la salle lumineuse **page 34,** ou combattre le scorpion, **page 35**.

15

L'ENTRÉE DE LA SALLE DES LUMIÈRES

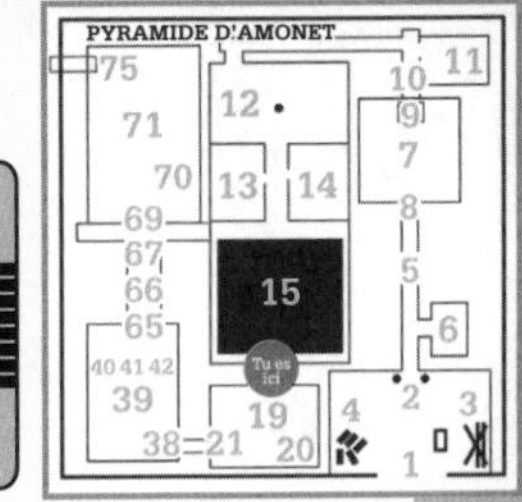

Soulagée d'être sortie de ce pétrin, tu retrouves Bebti, qui se blottit contre toi, visiblement très content que tu sois saine et sauve. Dans le mur près de l'entrée de la salle, tu vois quelques hiéroglyphes gravés à côté d'un levier. Tu comprends qu'il faut l'actionner pour garder cet accès toujours ouvert. Tu t'exécutes. Le scorpion a disparu. Tu sais désormais que tu pourras revenir en arrière sans craindre de tomber à nouveau sur ce monstre.

19

18

LA SALLE DES LUMIÈRES

Encore secouée par ton aventure dans la grande salle, tu pénètres dans la salle des lumières avec une petite appréhension. Quel obstacle vas-tu rencontrer cette fois-ci ? Le visage de la reine Cléopâtre surgit dans tes pensées. Elle attend d'être soignée, d'être sauvée, et il n'y a que toi qui puisses le faire. À peine as-tu pénétré dans la pièce que tes yeux sont baignés de lumière. La salle que tu as devant toi est occupée par un immense bassin d'eau claire et paisible. Au fond, de petits cristaux scintillent de mille feux et produisent cette lumière si particulière qui illumine toute la pièce.

Tu t'approches de l'eau. Ton reflet apparaît à la surface, tout comme celui de Bebti, qui s'amuse à se faire des grimaces à lui-même. Même si elle est claire, l'eau te paraît un peu surnaturelle. Si tu veux prendre le temps d'observer le rebord du bassin, rends-toi **page 36**. Sur le côté de la pièce se trouve une porte qui semble scellée pour le moment.

21

121

166-19

20

DANS LE BASSIN

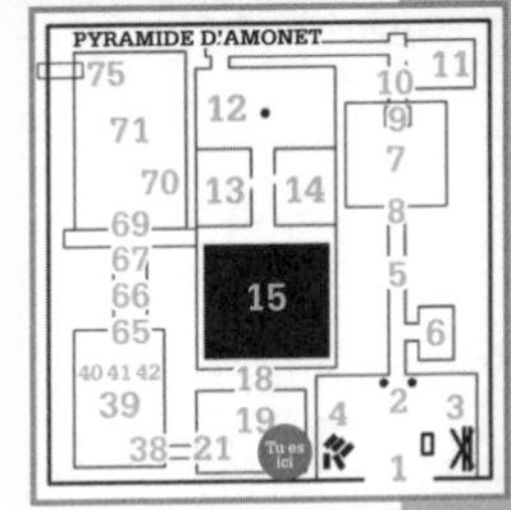

Après avoir laissé tes affaires sur le rebord du bassin, tu t'enfonces dans l'eau. Elle est froide, très froide. Tu grelottes. Bebti, quant à lui, y risque un orteil et le retire aussitôt en serrant les dents. Trop froid, bien trop froid pour lui. Suivant les escaliers qui conduisent au centre du bassin, tu descends dans l'eau scintillante jusqu'à la taille. Au fond, entre les cristaux, il y a un **médaillon**. Tu l'attrapes. Le bijou représente le dieu crocodile Amonet. Un des prêtres a dû le perdre en venant se baigner ici. Au dos se trouve une suite de hiéroglyphes. Si tu souhaites la déchiffrer, rends-toi **page 158**.

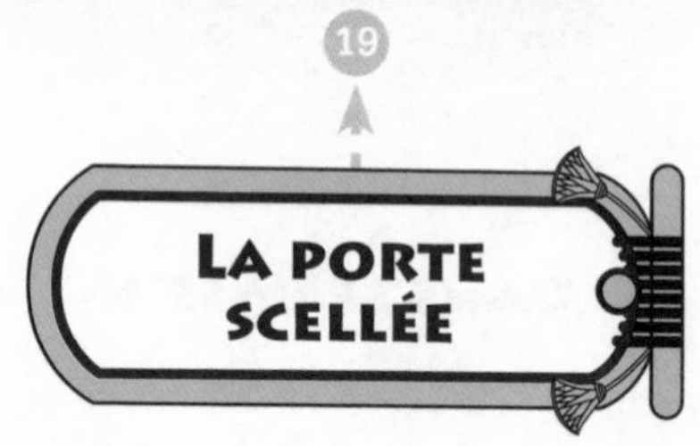

LA PORTE SCELLÉE

Contournant le bassin, tu t'approches d'une **porte en métal** sombre qui se trouve au fond de la pièce. Elle est sculptée de multiples motifs en forme de serpents, qui semblent dessiner une croix égyptienne. Les reptiles te font peur. Tu peux prendre le temps d'examiner la porte, **page 37**.

21

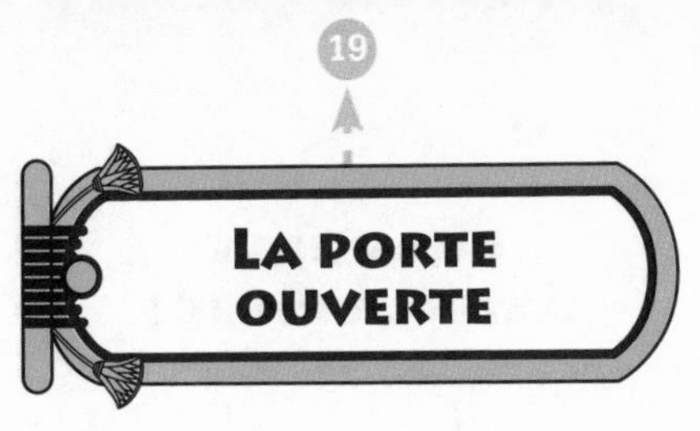

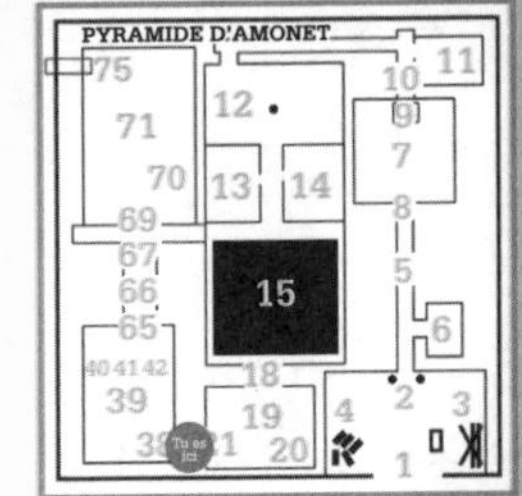

Devant toi, la porte ouverte te permet d'entrevoir ce qu'il y a de l'autre côté : un pont suspendu en cordes et en planches en bois ! Il relie la partie de la pyramide dans laquelle tu es à une autre que tu aperçois un peu plus loin.

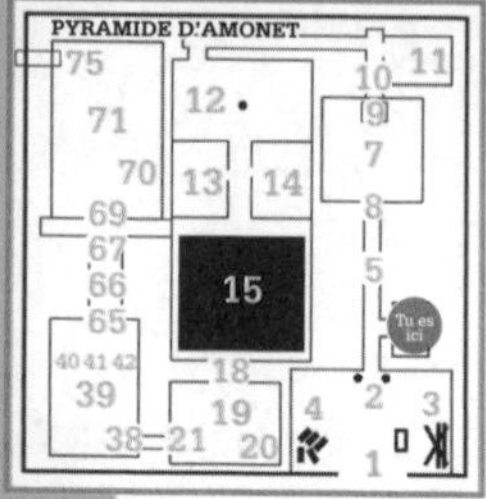

GRAVURES DANS LA PIERRE

Tu te penches vers le rebord du petit bassin et tu observes avec la plus grande attention les petits signes qui y sont gravés. Visiblement, ils ont été faits au couteau, maladroitement. Tu souffles dessus pour dégager un peu de poussière qui, en s'envolant, révèle des flèches qui vont dans différentes directions.

Retourne **page 6**.

LE HIÉROGLYPHE

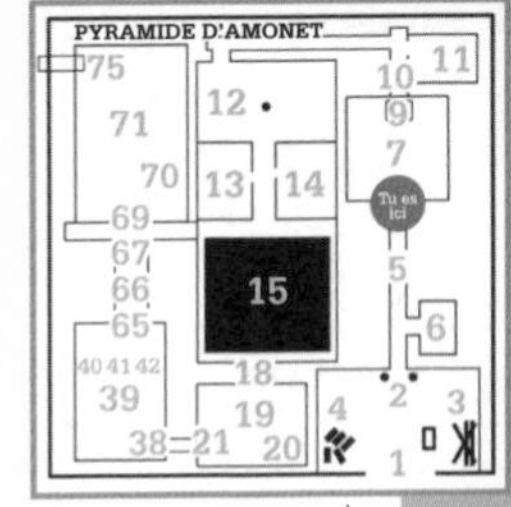

Avec une légère appréhension, tu poses la main sur le dessin de crocodile en repensant à Tefnut, le traître. Le signe s'enfonce légèrement dans la pierre. Rien ne semble s'être produit, puis tu entends comme un bruissement et du sable te tombe dessus en pluie fine.

Bebti se met à hurler, tu regardes en l'air. De petites ouvertures apparues au plafond s'écoule du sable.

Tu connais ce piège. Il a été mis en place pour éliminer celles et ceux qui visitent les pyramides sans autorisation. Tu sais que dans quelques heures la pièce sera remplie de sable. Tu retournes vite auprès de Cléopâtre. Rends-toi **page 8**.

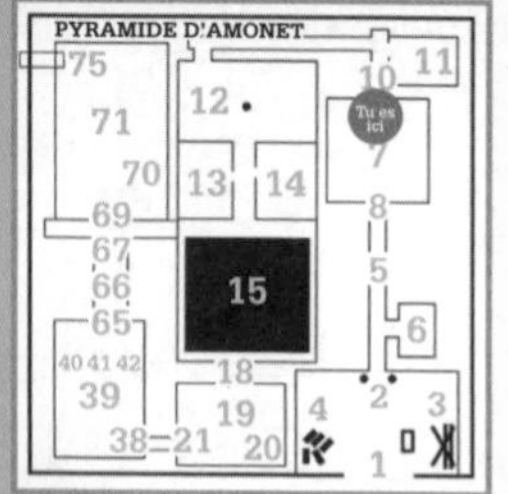

LE COURANT D'AIR

En t'approchant tout près, tu sens un petit courant d'air te chatouiller les doigts à l'arrière du trône. C'est le signe qu'un passage se cache par ici !

Retourne **page 9**.

L'ŒIL D'HORUS

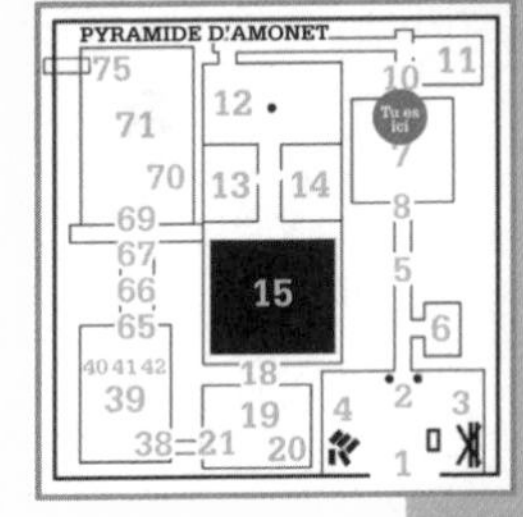

Tu t'agenouilles près de ta reine. Inconsciente, elle a les yeux fermés mais ne semble pas souffrir. Consciencieusement, tu inspectes son corps pour voir si elle ne s'est pas blessée. Un détail attire ton attention : sa main gauche est serrée sur un objet brillant.

Délicatement, tu ouvres la main crispée de Cléopâtre et y trouves un magnifique bijou en forme d'œil : celui que Cléopâtre porte quotidiennement autour de son cou. La pierre bleutée est parfaitement sculptée et sertie d'or. C'est un **œil d'Horus**.

Tu prends l'œil avec toi, car tu sais qu'il possède des facultés extraordinaires qui pourraient t'aider dans ta mission de sauvetage.

Rends-toi **page 9**.

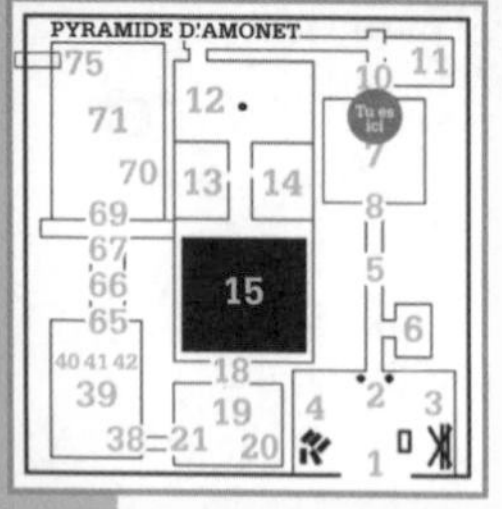

LE TRÔNE

Tu regardes avec plus d'attention l'œil d'Horus gravé dans le dossier du trône. Semblable au bijou que Cléopâtre porte quotidiennement autour de son cou, il est flanqué d'un hiéroglyphe de chat et d'un autre de crocodile. Persuadée que ce signe a une importance capitale, tu poses ta main dessus et tu t'aperçois que le bijou de Cléopâtre y rentrerait parfaitement.

Retourne **page 9**.

Les hiéroglyphes d'Amonet

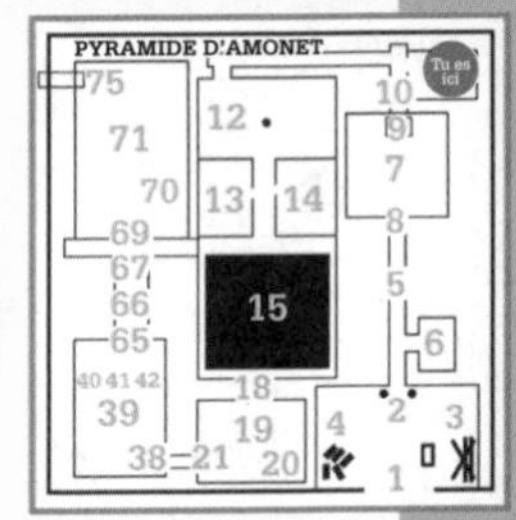

Tu appuies sur les hiéroglyphes. Sous la pression de tes doigts, les pierres s'enfoncent dans le mur. Un mouvement lointain se fait sentir. Bebti se met à crier. Sans que tu puisses les éviter, des fléchettes sortent du mur. L'une d'elles vient se ficher dans ton épaule. Tu retires la pointe en bois : par chance, elle a été arrêtée par la lanière de cuir de ta tunique. Tu te dis que tu n'es pas passée loin de la mort. Il vaut mieux que tu trouves le bon code avant de retenter ta chance.

Retourne **page 11**.

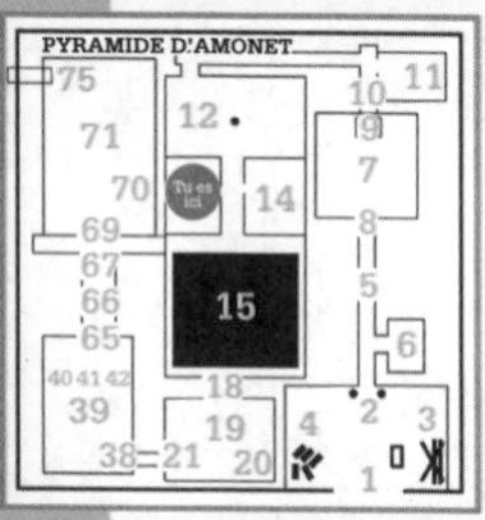

LE DORMEUR

Délicatement, tu t'approches et tu t'agenouilles près du dormeur. Tu n'entends pas de respiration. Peut-être est-il mort. Tu poses délicatement ta main sur son épaule et essaies de le secouer un peu. Une odeur étrange parvient à tes narines. Une odeur de cadavre et de poussière. Bebti se met à hurler et te fait signe de sortir de la pièce mais c'est trop tard. Tu appuies plus fort sur le corps qui s'effrite et tombe en poussière.

Dans ce qui reste du dormeur, tu trouves une croix égyptienne en or, une **Ankh dorée**.

Retourne **page 13**.

Sous le sable

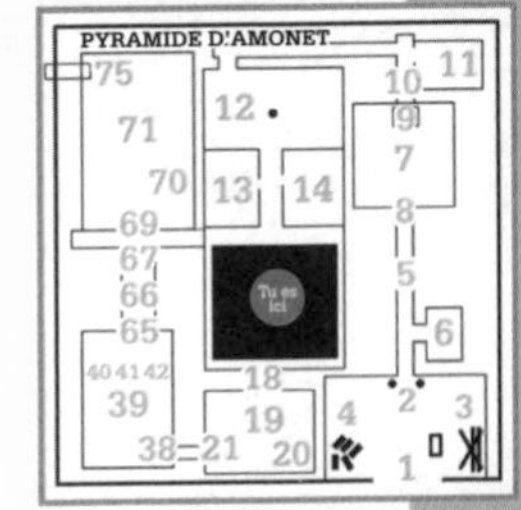

Tu fais un pas dans la grande salle. Avec prudence. Sous tes pas, le sable fait un petit bruit d'insectes écrasés. De l'autre côté de la salle, Bebti te fait de grands signes. Tu lui rends ses salutations mais, bientôt, tu comprends que ce sont des cris d'alarme. Tu regardes autour de toi et tu te rends compte que, sous le sable, quelque chose bouge. Tu te mets à courir. Rends-toi **page 16**.

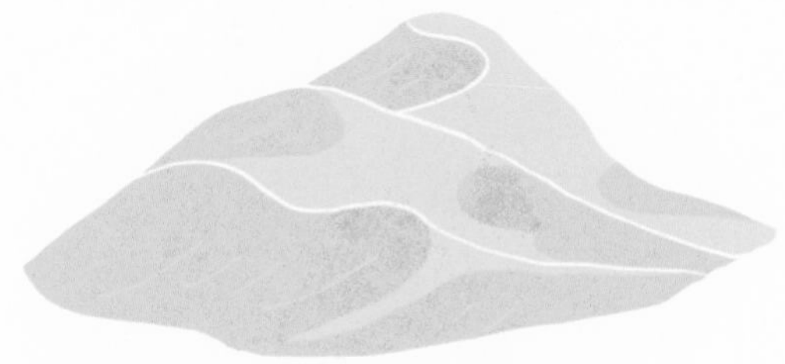

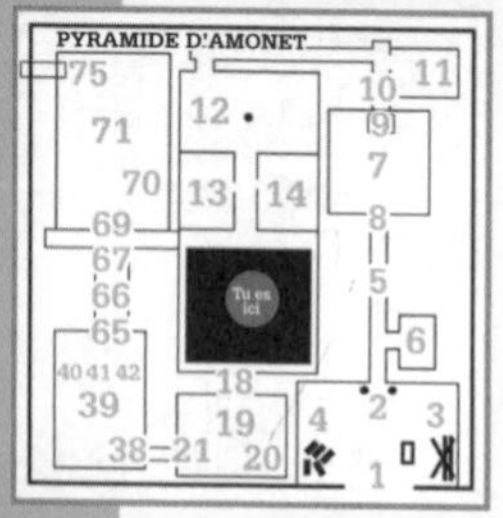

Convaincue qu'il y a forcément un piège, tu t'assois pour réfléchir. Tu regardes de tous les côtés, cherchant d'où pourrait venir le danger. Au bout de quelques minutes, tu n'as rien trouvé. Du sable. Il y a juste du sable devant toi. Une simple et belle certitude te vient alors à l'esprit : tu perds ton temps. Retourne à la **page 15**.

LE COMBAT

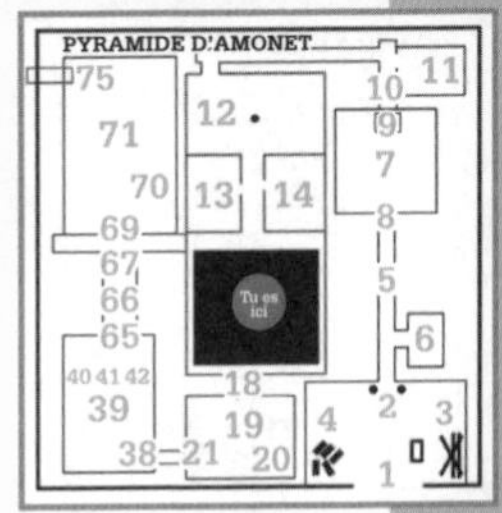

Décidée à défendre ta vie, tu fais face à la bête, le glaive à la main. Au-dessus de toi, le dard acéré et suintant de venin virevolte et se dirige vers toi à toute vitesse. Dans un geste réflexe, tu l'évites et il se plante dans le sol dans une explosion de sable. Ton courage t'ordonne de frapper. Tu abats ton arme sur la queue de la bête. Ton coup endommage son aiguillon, qui tombe au sol. Blessé, le scorpion recule. Tu ramasses le dard que tu as coupé, comme un trophée durement gagné, et tu reprends ta route vers l'entrée de la salle des lumières et ton ami Bebti. Rends-toi vite **page 18**.

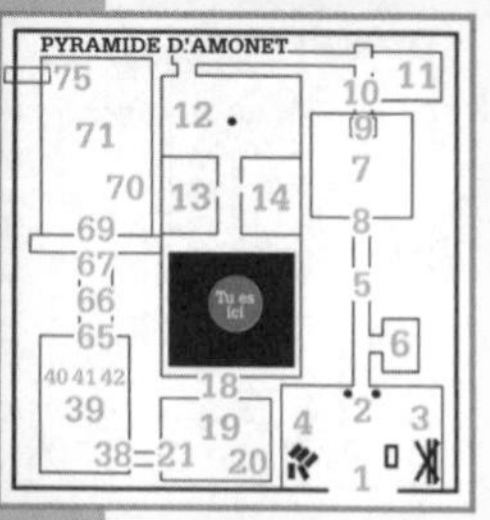

LA FUITE

Voulant à tout prix éviter le monstre, tu te mets à courir dans le sable pour le contourner et longer un mur de la pièce avant de reprendre ta route vers Bebti et la salle lumineuse. Plus à l'aise sur ce terrain mouvant, le scorpion est déjà sur toi et essaie de t'embrocher avec son dard. Tu évites son premier coup en faisant une roulade, puis tu profites d'un faux mouvement de l'animal pour repartir en trombe vers la salle lumineuse. Rends-toi vite **page 17**.

COURSE EFFRÉNÉE

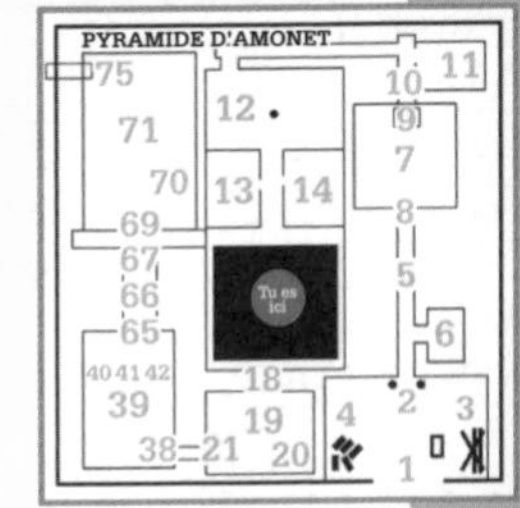

Sans t'occuper du monstre qui essaie de t'atteindre, tu regardes droit devant toi et fonces vers Bebti qui hurle à s'en décrocher la mâchoire. Tout à coup, tu es retenue en arrière. Tu te retournes et tu t'aperçois que le dard du monstre s'est planté dans ta tunique. D'un coup sec, tu la déchires et tu continues ta course. Tu sens la grille bardée de pics te toucher les cheveux. Bebti te tend la patte. Tu la saisis. Tu es sauvée ! Rends-toi vite **page 18**.

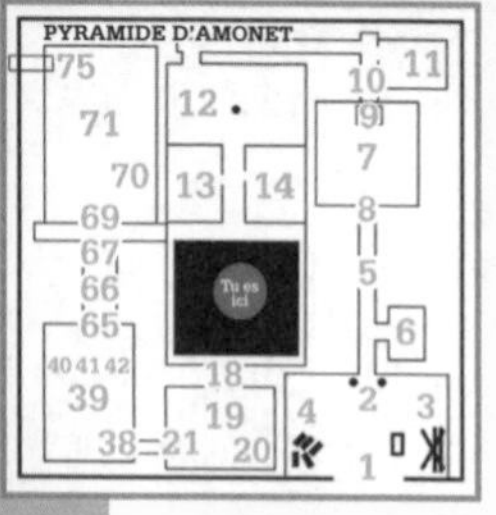

LE COMBAT

Décidée à défendre ta vie, tu t'arrêtes et te retournes pour faire face à la bête, le glaive à la main, mais la herse se rapproche dangereusement du sol. Consciente que tu vas finir en brochette, tu reprends tes jambes à ton cou et tu atteins in extremis l'entrée de la salle des lumières. Rends-toi vite **page 18**.

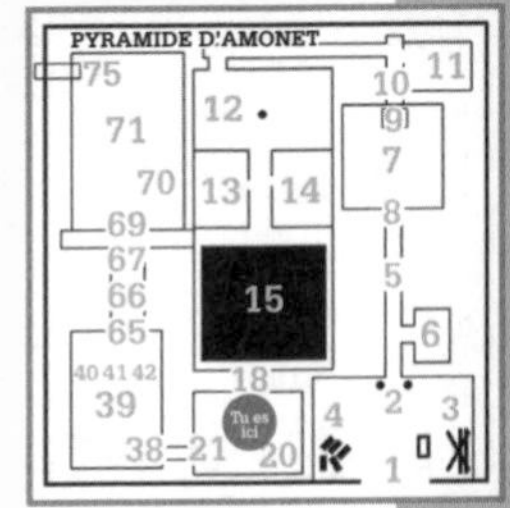

Gravures dans la pierre

Tu te penches vers le rebord du petit bassin et tu observes avec la plus grande attention les petits signes qui y sont gravés. Visiblement, ils ont été faits au couteau, maladroitement. Tu souffles dessus pour dégager un peu de poussière qui, en s'envolant, révèle des flèches qui vont dans différentes directions.

Retourne **page 19**.

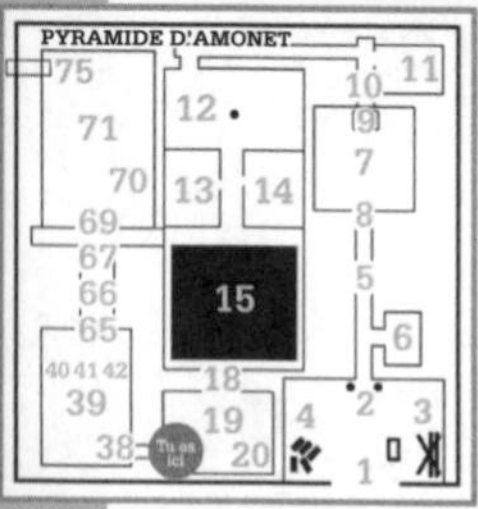

LA PORTE SCELLÉE

Minutieusement, tu touches la porte en cherchant une faille ou un système qui permettrait de l'ouvrir. Tes doigts décèlent une petite encoche dans laquelle un objet pourrait être inséré. Il te faudrait une clé ou un objet un peu pointu à glisser dans ce qui semble être un système d'ouverture. Consciente qu'un détail semble t'échapper, tu regardes la porte à nouveau. Au centre, au-dessus de l'interstice qui te permettrait de mettre une clé, se trouve une gravure de croix égyptienne. Retourne **page 21**.

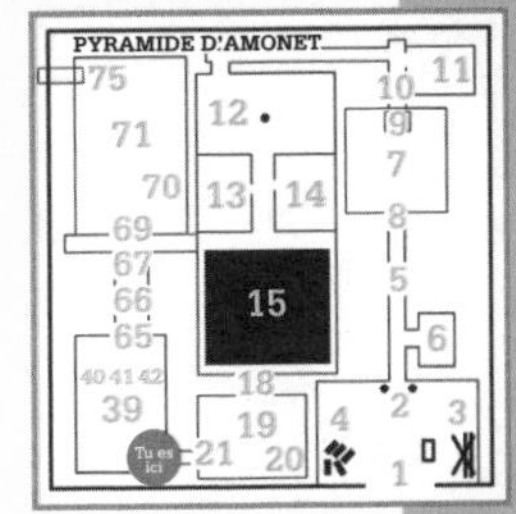

Pas rassurée, tu passes la porte. Un vent chaud et putride te caresse le visage. Tu te pinces les narines et regardes Bebti faire la même chose que toi. Devant, le pont en cordes paraît en piteux état. Reliées par de simples nœuds qui ont probablement été solides autrefois, de petites planches de bois font le chemin censé te conduire de l'autre côté. Tu n'es pas persuadée que tu vas échapper à la mort cette fois-ci. Par appréhension, tu jettes un œil en bas. Vision d'horreur : embrochés sur des stalagmites, les squelettes blanchis des dernières personnes qui ont essayé de passer par là. Rien de très rassurant pour toi. Tu sais que tu n'auras pas droit à plusieurs chances pour traverser. Tu repères trois possibilités pour traverser le plus rapidement possible. Il y a neuf planches face à toi. En trois petits sauts, tu penses que tu peux y parvenir. Tu peux prendre le temps d'observer attentivement l'état des planches **page 76**.

Si tu veux sauter sur les planches 1, 4 et 7, rends-toi **page 77**. Tu peux aussi essayer d'emprunter les planches 2, 5 et 8 **page 78** ou les planches 3, 6 et 9 **page 79**.

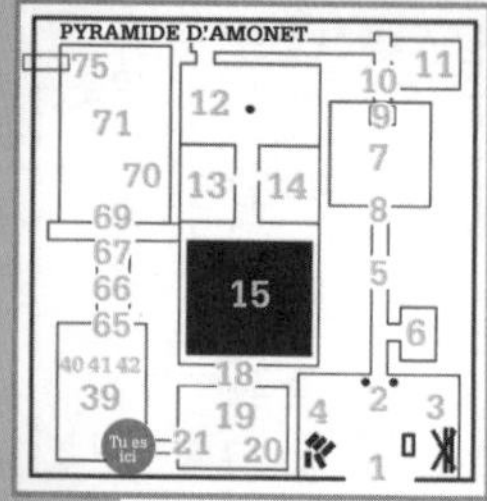
PYRAMIDE D'AMONET
75
11
10
12
9
71
7
70
13
14
69
8
67
15
5
66
65
6
40 41 42
18
39
2
3
4
19
Tu es ici
21
20
1

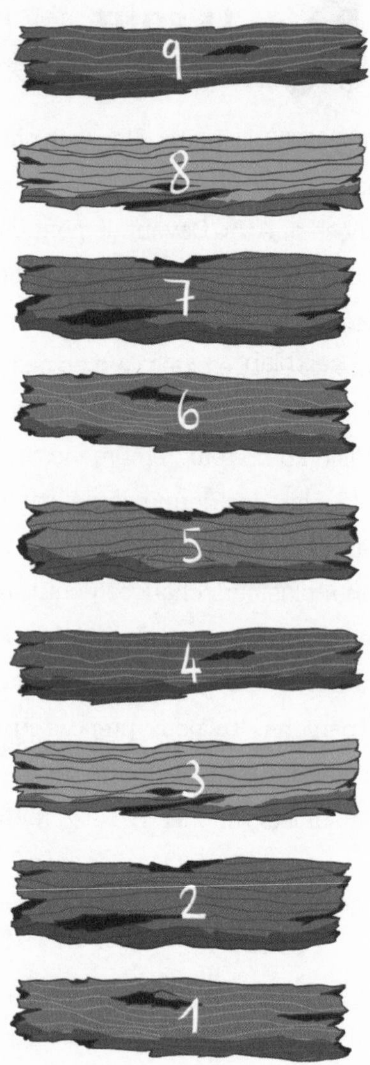
9
8
7
6
5
4
3
2
1

123
166-38
38

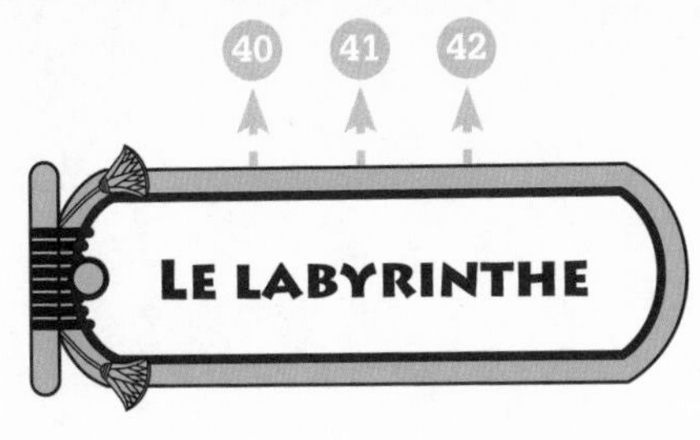

LE LABYRINTHE

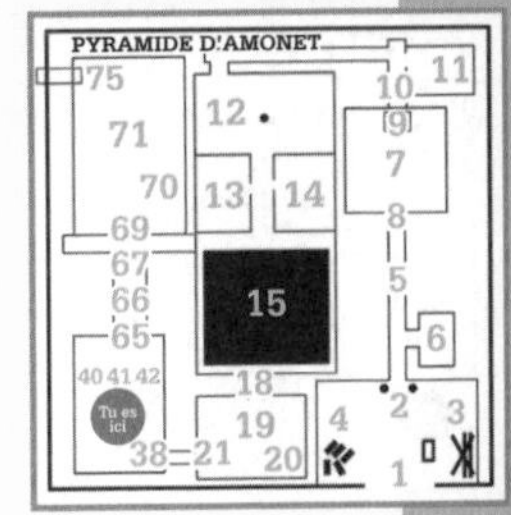

Soulagée d'être passée, tu regardes en arrière. Cette fois, tu as frôlé la mort. Pas mal, pour une apprentie médecin. Mais le temps presse et Cléopâtre ne survivra pas si tu n'accélères pas le pas. Tu quittes le pont et descends quelques marches pour te retrouver en face d'un immense mur dans lequel ont été creusées trois portes tout à fait semblables. Tu connais cette configuration, trois entrées, une seule sortie. Pas de doute, il s'agit bien d'un labyrinthe. Au-dessus des trois portes, tu vois des hiéroglyphes. 38

Avant de te lancer dans le labyrinthe, tu peux prendre le temps de passer en revue les trois entrées pour chercher des indices **page 80**. Si tu souhaites déchiffrer les hiéroglyphes, rends-toi **page 158**.

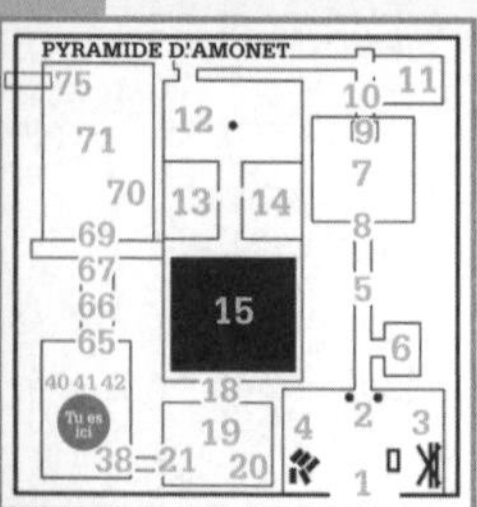
PYRAMIDE D'AMONET
75
71
70
69
67
66
65
40 41 42
Tu es ici
38
21
12
13
14
15
18
19
20
11
10
9
7
8
5
6
4
2
3
1

166-39

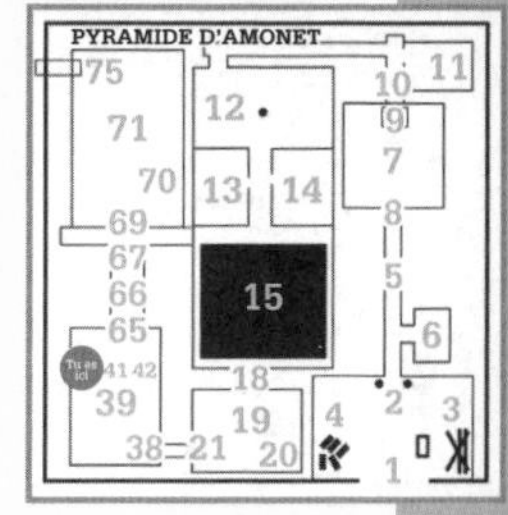

Après avoir mûrement réfléchi, tu décides d'emprunter la porte de gauche. Tu allumes ta torche et tu t'avances dans le couloir, qui a l'air droit. Sur le sol, des feuilles séchées font du bruit quand tu marches dessus. Bebti saute sur ton épaule et regarde avec toi droit devant. Rapidement, tu arrives à un premier carrefour.

Par où veux-tu aller ?

- Retourner à l'entrée du labyrinthe : **page 39.**
- Aller à l'est, où tu entends un petit bruit de vent : **page 43.**
- Aller au nord : **page 61.**

39

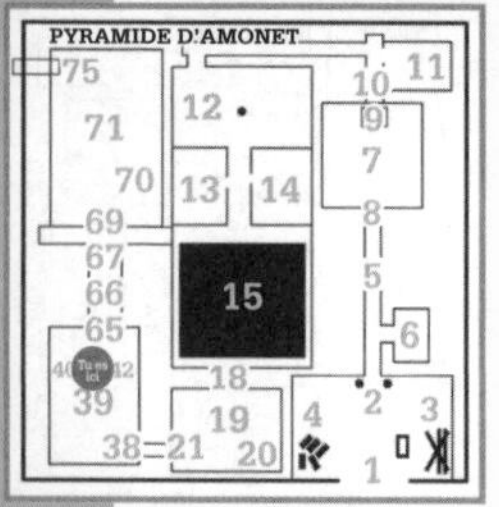

PORTE DU MILIEU

Après avoir mûrement réfléchi, tu décides d'emprunter la porte du milieu. Tu allumes ta torche et tu t'avances dans le couloir. Sur le sol, des araignées grosses comme le poing te laissent passer. Tu entends le vent qui siffle, semblant t'indiquer que la sortie n'est pas loin. Tu avances tout droit et tu arrives à un carrefour.

Par où veux-tu aller ?

- Retourner à l'entrée du labyrinthe : **page 39.**
- Aller à l'ouest : **page 59.**
- Aller vers le nord pour suivre le sifflement du vent : **page 44.**
- Aller vers l'est où une odeur de mort se fait sentir : **page 46.**

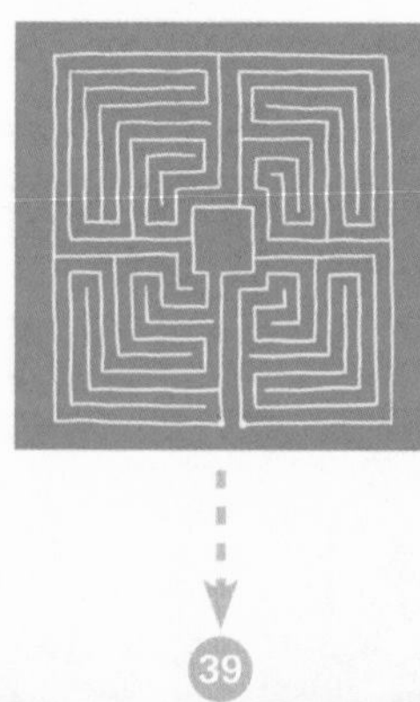

39

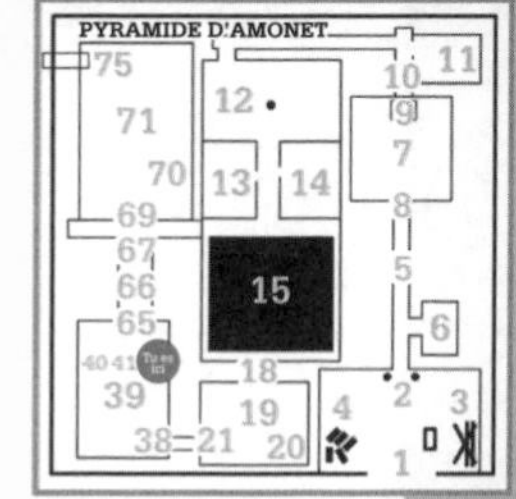

Après avoir mûrement réfléchi, tu décides d'emprunter la porte de droite. Tu allumes ta torche et tu t'avances dans le couloir. Une odeur de mort t'agresse les sens. Tu te bouches le nez. Le sol est jonché d'ossements d'animaux. Tu te demandes quel genre de prédateur peut bien rôder dans ces corridors obscurs. Tu arrives rapidement à un carrefour.

Par où veux-tu aller ?

- Retourner à l'entrée du labyrinthe : **page 39.**
- Aller vers l'ouest, où tu entends le sifflement du vent : **page 58.**
- Aller au nord et suivre l'odeur nauséabonde : **page 50.**

39

Tu continues dans le couloir qui te paraît plus grand que les autres. Tu arrives à un carrefour. Le couloir se prolonge plus loin devant toi.

Par où veux-tu aller ?

- Vers le nord, où tu entends le sifflement du vent : **page 44.**
- Vers l'est et te rapprocher d'une odeur nauséabonde : **page 46.**
- Vers, le sud où tu entends le sifflement du vent : **page 45.**

Tu avances dans le couloir qui va tout droit avant d'arriver à un carrefour.

Par où veux-tu aller ?

- Vers l'est et te rapprocher d'une odeur nauséabonde : **page 48.**
- Vers l'ouest, où tu entends le sifflement du vent : **page 47.**

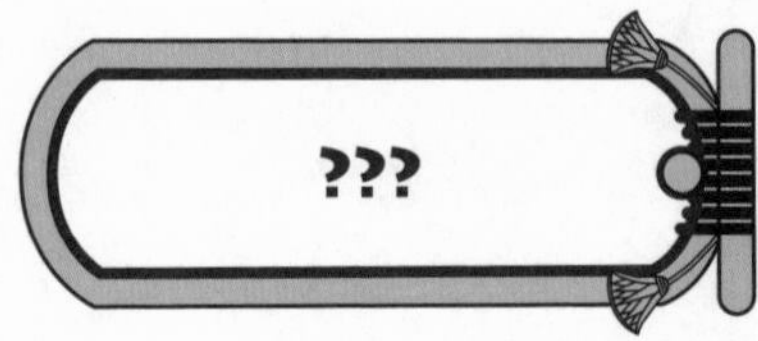

Tu avances dans le couloir et arrives dans l'entrée du labyrinthe par la porte du milieu. Rends-toi **page 39**.

Tu avances dans le couloir avant d'arriver à un carrefour.

Par où veux-tu aller ?

- Aller au sud, vers l'odeur nauséabonde : **page 49.**
- Aller au nord, vers l'odeur nauséabonde : **page 50.**

Tu progresses dans le couloir qui tourne deux fois à droite puis une fois à gauche avant d'arriver à un carrefour.

Par où veux-tu aller ?

- Vers l'ouest, où tu entends le sifflement du vent : **page 53.**
- Vers l'est et l'odeur nauséabonde : **page 54.**

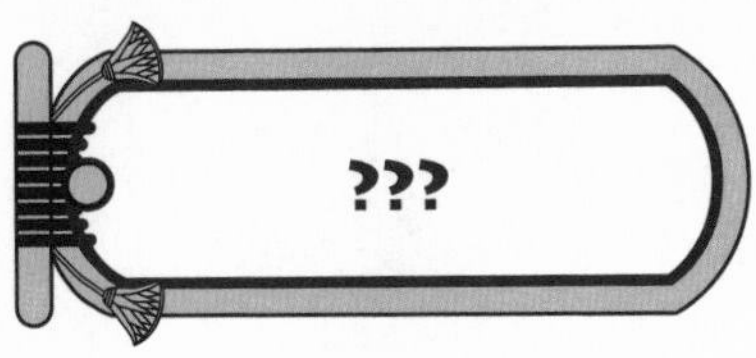

Tu continues dans le couloir avant d'arriver à un carrefour.

Par où veux-tu aller ?

- Aller au sud, vers l'odeur nauséabonde : **page 57.**
- Aller au nord, vers l'odeur nauséabonde : **page 52.**

Tu avances dans le couloir et arrives dans l'entrée du labyrinthe par la porte de droite. Rends-toi **page 39**.

Tu continues dans le couloir avant d'arriver à un carrefour.

Par où veux-tu aller ?

- Vers l'ouest, où tu entends le sifflement du vent : **page 51.**
- Aller au nord, vers l'odeur nauséabonde : **page 52.**

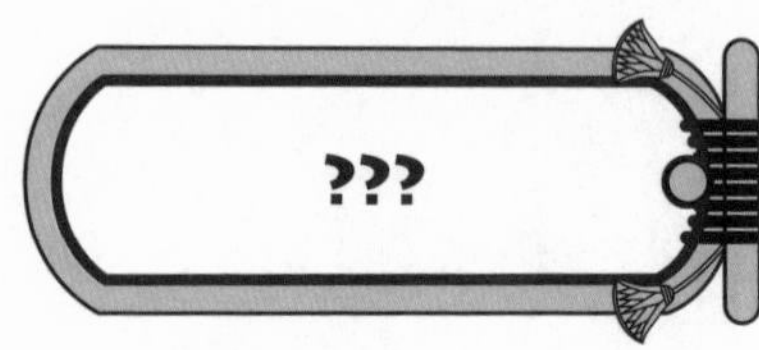

Tu tournes et continues dans le couloir avant d'arriver à un carrefour.

Par où veux-tu aller ?

- Aller au sud, où tu entends le sifflement du vent : **page 62.**
- Aller à l'ouest, où tu entends le sifflement du vent : **page 47.**

Tu continues dans le couloir avant d'arriver à un carrefour.

Par où veux-tu aller ?

- Aller au nord, **page 55.**
- Aller à l'ouest, où tu entends le sifflement du vent : **page 63.**

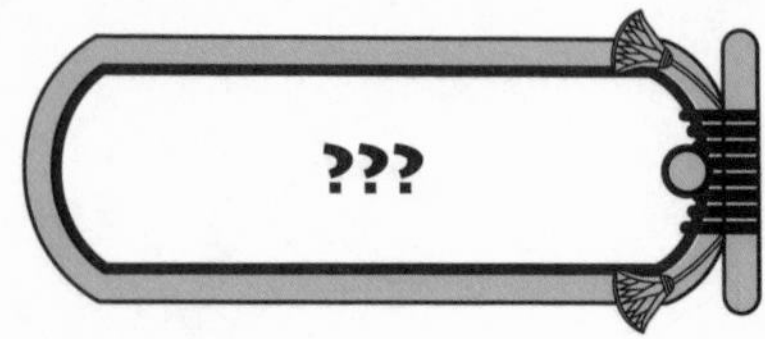

Tu continues dans le couloir où tu entends le vent siffler de plus en plus fort. Tu progresses rapidement. Le corridor se termine en cul-de-sac. Tu regardes autour de toi. En hauteur, tu aperçois une minuscule ouverture. Le vent s'y engouffre en émettant un long et lancinant sifflement. Tu fais demi-tour et retourne **page 39.**

Tu continues dans le couloir avant d'arriver à un carrefour.

Par où veux-tu aller ?

- Aller au nord : **page 55.**
- Aller à l'est, vers l'odeur nauséabonde : **page 56.**

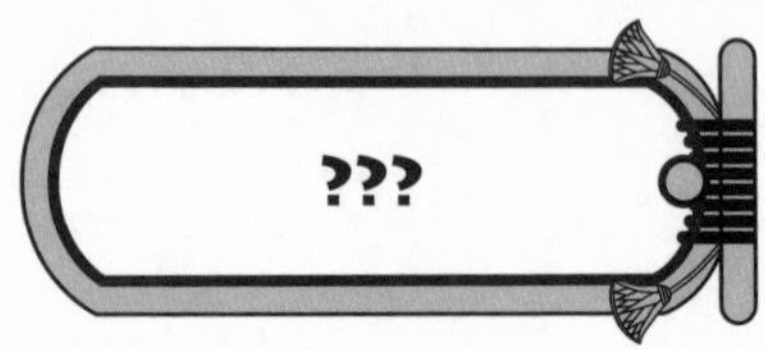

Tu tournes et continues dans le couloir avant d'arriver à un cul-de-sac. Tu commences à maudire ce fichu labyrinthe quand Bebti te tape sur l'épaule tout en montrant le mur du doigt. À travers la pierre friable, tu aperçois de la lumière. Persuadée que tu es à la sortie, tu cognes sur le mur, qui s'effrite ! Bientôt, les pierres tombent et tu te retrouves dans une immense salle au trésor. Rends-toi **page 65.**

Tu continues dans le couloir qui tourne sur la droite, tu arrives à un carrefour.

Par où veux-tu aller ?

- Tourner à l'ouest, où tu entends le sifflement du vent : **page 51.**
- Aller au sud, vers l'odeur nauséabonde : **page 57.**

Tu continues dans le couloir qui tourne sur la droite, tu arrives à un carrefour.

Par où veux-tu aller ?

- Aller à l'ouest, où tu entends le sifflement du vent : **page 58.**
- Aller au sud, vers l'odeur nauséabonde : **page 49.**

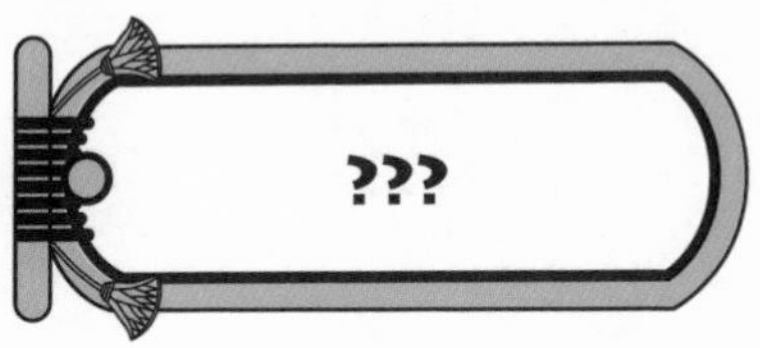

Tu continues dans le couloir, tu arrives à un carrefour.

Par où veux-tu aller ?

- Aller au nord, où tu entends le sifflement du vent : **page 44.**
- Aller à l'ouest, **page 59.**
- Aller au sud, où tu entends le sifflement du vent : **page 45.**

Tu continues dans le couloir, tu arrives à un carrefour.

Par où veux-tu aller ?

- Aller au nord : **page 61.**
- Aller au sud : **page 60.**

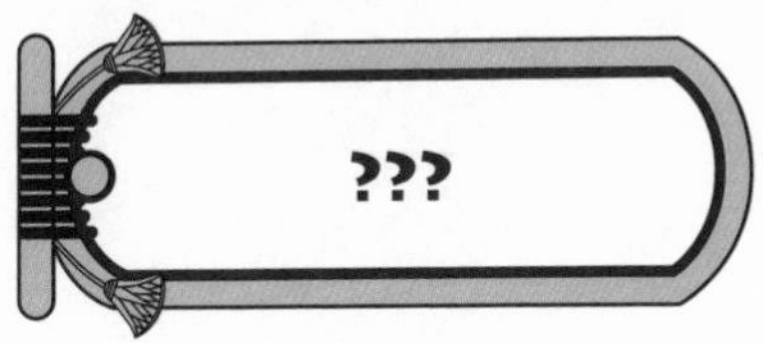

Tu avances dans le couloir et arrives dans l'entrée du labyrinthe par la porte de gauche. Rends-toi **page 39.**

Tu continues dans le couloir et progresses rapidement. Le corridor tourne sur la gauche et se termine en cul-de-sac. Tu fais demi-tour et retourne **page 39.**

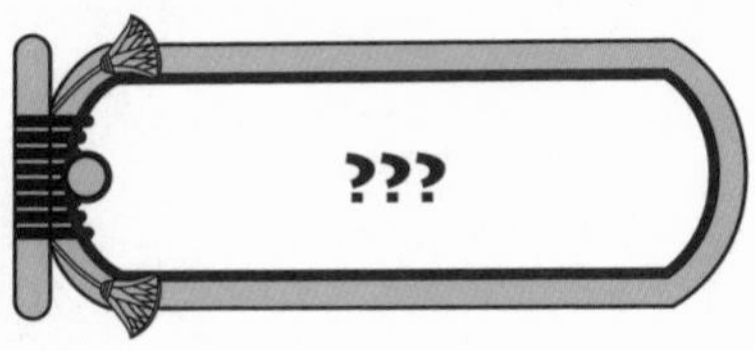

Tu tournes et continues dans le couloir avant d'arriver à un carrefour.

Par où veux-tu aller ?

- Aller à l'ouest : **page 59.**
- Aller au sud, où tu entends le sifflement du vent : **page 45.**
- Aller à l'est, vers l'odeur nauséabonde : **page 46.**

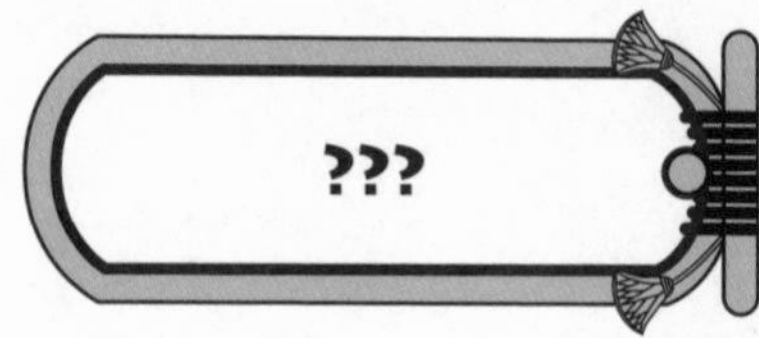

Tu continues dans le couloir avant d'arriver à un carrefour.

Par où veux-tu aller ?

- Aller à l'ouest, où tu entends le sifflement du vent : **page 53.**
- Aller au sud, **page 64.**

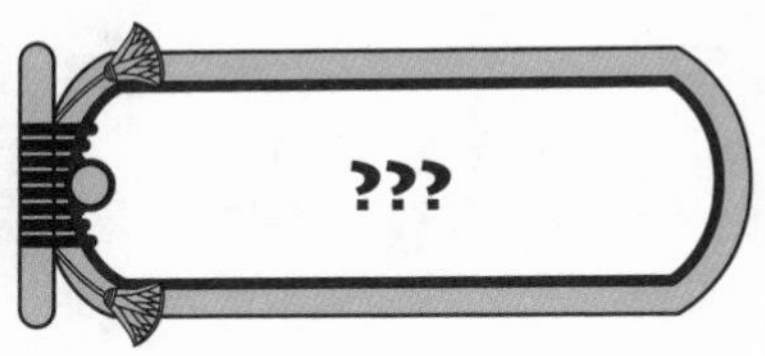

Tu continues dans le couloir avant d'arriver à un carrefour.

Par où veux-tu aller ?

- Aller à l'est, vers l'odeur nauséabonde : **page 48.**
- Aller au sud, où tu entends le sifflement du vent : **page 62.**

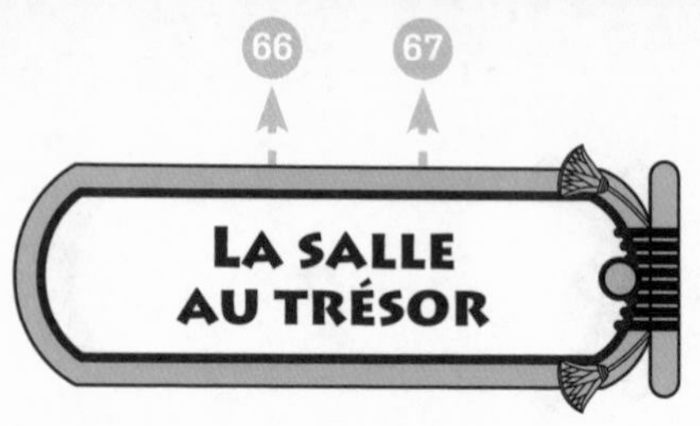

La salle au trésor

Après avoir dégagé un passage à travers le mur du labyrinthe, tu arrives dans une salle immense tout en longueur qui contient mille objets précieux. Les yeux ronds, Bebti saute au sol et s'approche des monticules d'or et d'argent amassés aux quatre coins de la pièce. Toi-même, tu n'as jamais vu autant de merveilles : des bijoux extraordinaires sertis de pierres, des plats en or dans lesquels tu peux admirer ton reflet, des statuettes représentant le dieu des dieux, Râ, dont les yeux sont des perles de lune qui réfléchissent la lumière de ta torche... Partout autour de toi, tout n'est que luxe et richesse. À bien y regarder, tu t'aperçois que certains des objets appartiennent à la reine, car ils portent son sceau. Tu te dis que les prêtres d'Amonet sont non seulement des traîtres mais aussi des voleurs cupides. Tu espères sortir vivante de cette aventure pour les dénoncer et faire triompher la justice. Tout au fond de la pièce se trouve un mur gigantesque. Tu ne vois pas d'autre issue.

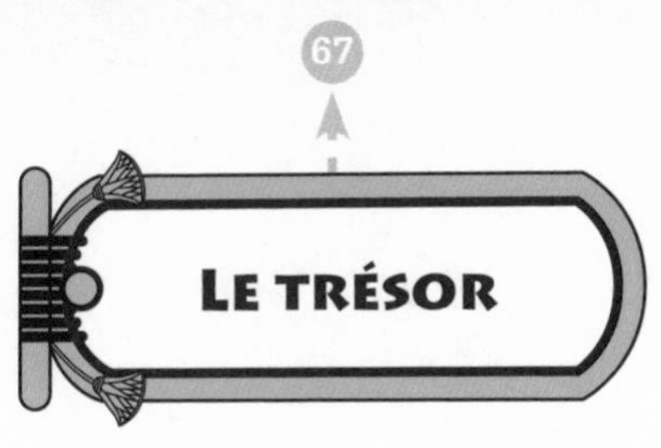

Le trésor

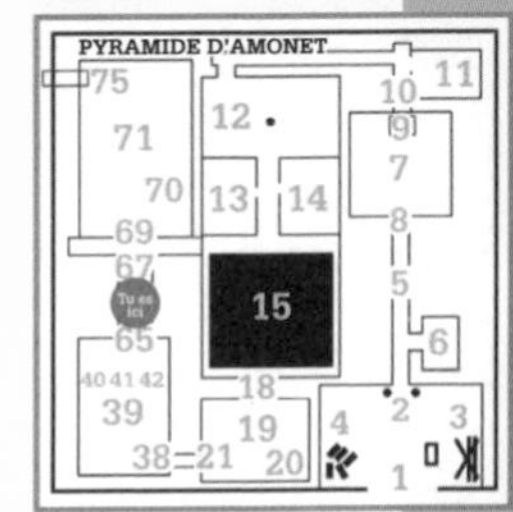

Tu n'as jamais vu de tas d'or aussi hauts et brillants. Il y a des bijoux, des plats, des meubles, des armes, des statuettes… tout en or et en pierres précieuses. Si tu veux jeter un œil au trésor, rends-toi **page 81.**

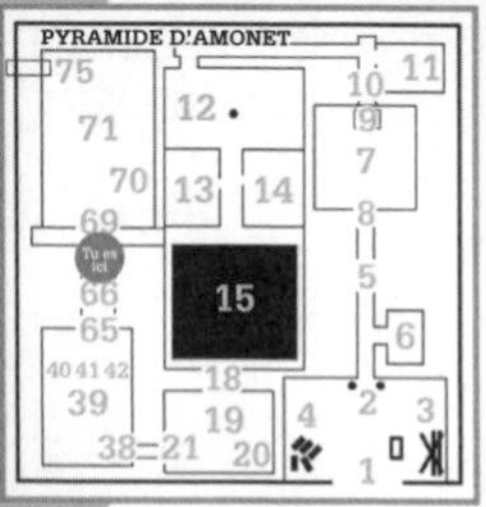

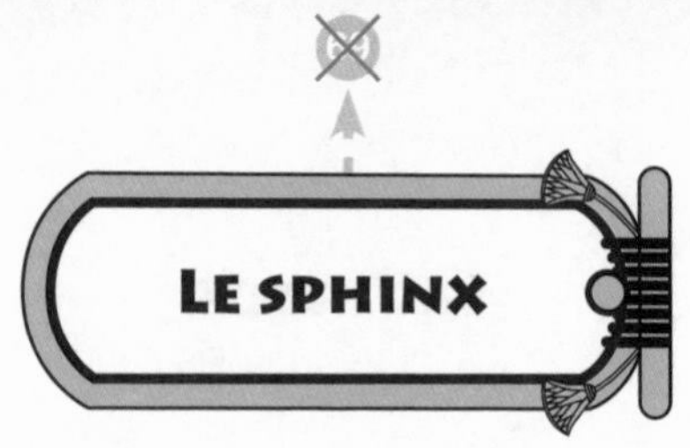

LE SPHINX

Laissant le trésor derrière toi, tu approches du mur du fond, qui te paraît gigantesque. À tes côtés, Bebti a le poil hérissé et pousse de petits cris. Tu reconnais ce comportement. Il fait toujours cela quand il a peur, très peur. Tu t'approches du mur. Une figure que tu connais bien apparaît dans la lumière : un sphinx. Bien qu'il représente parfois la reine ou le pharaon, tu sais également que le sphinx est une créature divine et qu'à ce titre son courroux peut être terrible. Tu avances vers la statue dont le corps s'étend sur tout le mur. Il n'y a pas d'autre issue dans la pièce.

Devant toi, un rayon de lumière venant du plafond vient éclairer un petit cercle en mosaïque sur le sol. Avec appréhension, tu t'y positionnes. Une voix rauque, d'outre-tombe, s'élève, une voix divine et terrible qui fait trembler les os de ton ami poilu blotti contre toi. Ne sachant trop que faire et parce que tu sais être en présence d'une divinité, tu ne bouges pas. La voix s'adresse à toi en ces mots : « Qui que tu sois, humaine, à trois énigmes tu dois répondre si tu souhaites poursuivre ton chemin sans périr ni souffrir. »

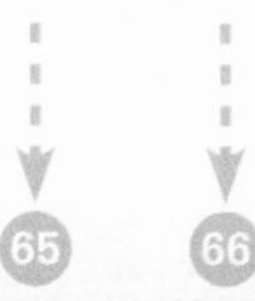

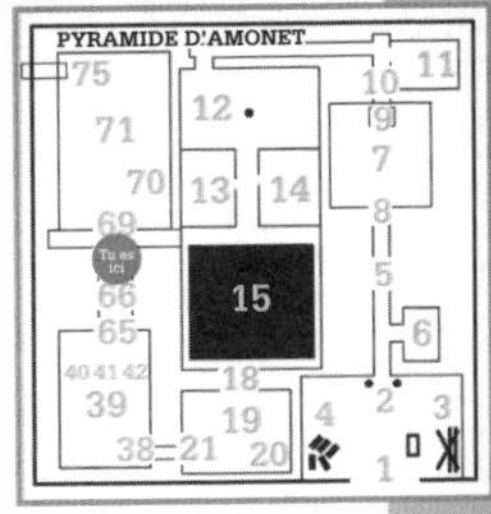

Voici la première énigme. Tu as le droit de choisir une réponse parmi trois choix : « Je suis partout, mais on ne peut jamais m'atteindre. Qui suis-je ? »

Le sphinx te laisse le choix entre trois réponses : pour répondre « le vent », rends-toi **page 85**, « l'horizon », rends-toi **page 86** ou « l'amour », rends-toi **page 87.**

65 66

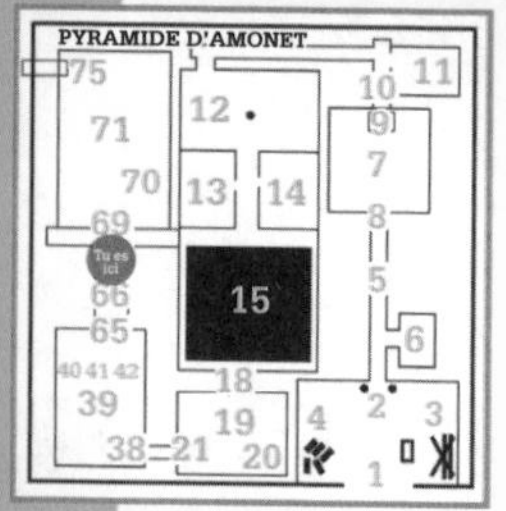

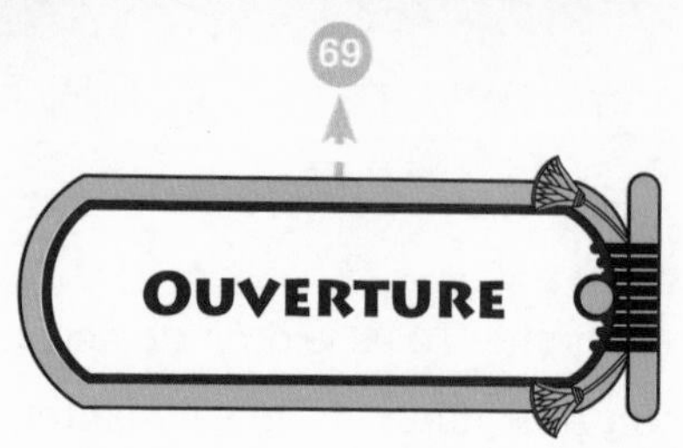

OUVERTURE

La voix du sphinx s'adresse à toi : « Tu as triomphé, humaine. La voie est libre pour toi. » Heureuse d'avoir résolu les énigmes du sphinx, tu fixes la statue qui retombe dans un sommeil profond. Au centre de son corps, entre ses pattes, un panneau de pierre pivote et une ouverture apparaît. Tu as maintenant accès à l'arène de la pyramide, **page 69**.

ENTRÉE DE L'ARÈNE

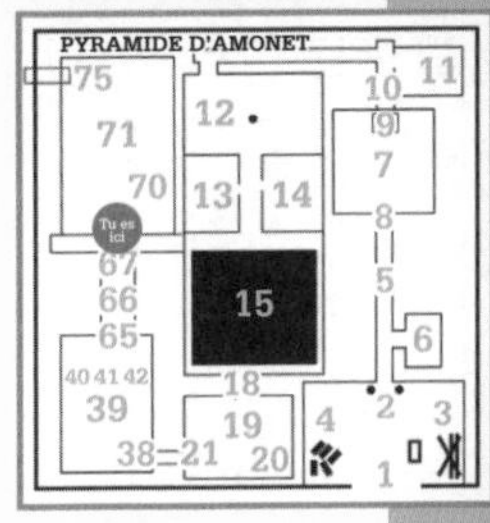

Tu t'avances vers l'immense statue du sphinx qui te domine. En cherchant dans tes souvenirs, tu ne te rappelles pas avoir déjà vu des choses aussi fantastiques ou avoir entendu parler de divinités vivantes. Mais tu sais aussi que l'existence est pleine de mystères et que tout autour de nous sommeillent des forces silencieuses. C'est ton maître qui t'a enseigné cela. Dans ton cou, Bebti se sent un peu rassuré. Votre aventure continue et tu sens qu'il est pressé de voir ce qui vous attend. Ensemble, vous vous glissez dans l'ouverture dans le corps du sphinx et vous remontez un petit couloir rocheux. Tout au bout, la sortie est haute comme un immense guerrier en armure. Tu sors du couloir et débouche de l'autre côté.

Devant toi s'étend à perte de vue une gigantesque arène vide. Tout autour, des gradins entourent l'espace central, probablement réservé au combat. Bebti émet un cri qui se répercute en écho dans toute la pièce.

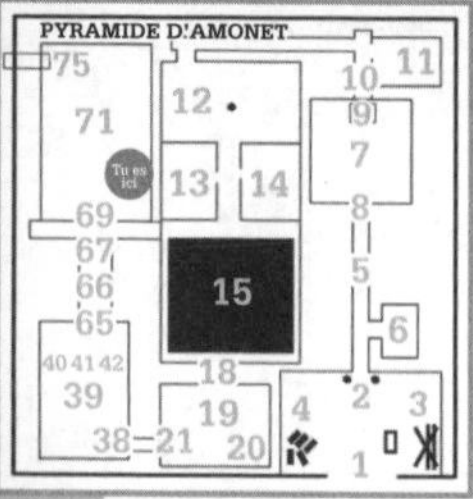

Les gradins

Tu marches le long des gradins de pierre. Bebti te suit un peu plus haut et il a l'air content. Alors que tu parcours tranquillement les gradins à la recherche d'une issue pour sortir de la pyramide, une présence se fait sentir derrière toi. Tu te retournes et découvres, couteau à la main, l'être malfaisant à qui tu dois d'être là, Tefnut, le grand prêtre du dieu Amonet. En silence, il s'approche de toi dans l'intention de t'assassiner. Tu dois te décider rapidement : reste sur place, **page 96**, ou fuis, **page 97**.

L'ARÈNE

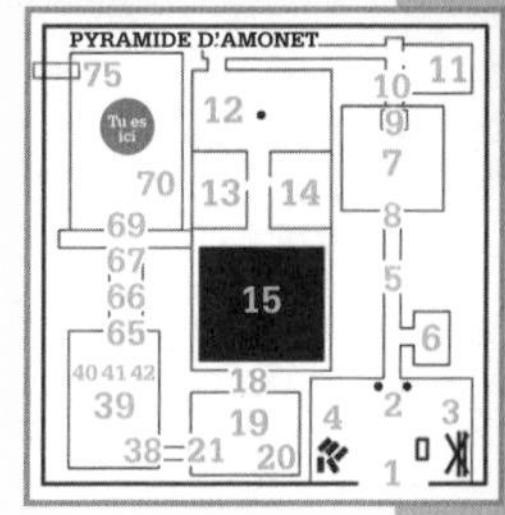

Lorsque tu foules le sol de l'immense arène, tu te rends compte que le sable est mélangé à une autre matière : des os brisés qui en sortent ici et là. Tu sens un frisson te parcourir et tu te demandes quels combats ont pu se dérouler ici. Du haut des gradins, Tefnut, le prêtre du dieu crocodile Amonet, apparaît. Il a l'air à la fois furieux et très heureux de te voir dans l'arène. Il te regarde tout en s'approchant d'un grand levier, qu'il abaisse d'un coup violent. Des pointes métalliques sortent des murs de l'arène. Remonter par les gradins te sera désormais impossible. Sur tes gardes, tu comprends trop tard que tu es à sa merci. Tout au bout de l'arène, un petit tas de sable se soulève, devient grand… et fonce vers toi, comme si la bête cachée dessous avait senti ta présence. Tu n'en crois pas tes yeux : un immense crocodile aux yeux rouges se dresse maintenant à quelques dizaines de mètres de toi. Ses dents sont larges et acérées, ses écailles se terminent en pointes. Ce monstre dégage une férocité sans pareille, une énergie maléfique, comme si c'était un démon. Tu repères trois endroits où te cacher dans l'arène. Que veux-tu faire ?

- Aller vers un char en métal renversé, **page 72.**
- Aller vers une palissade en bois, **page 73.**
- Courir vers un gros rocher, **page 74.**

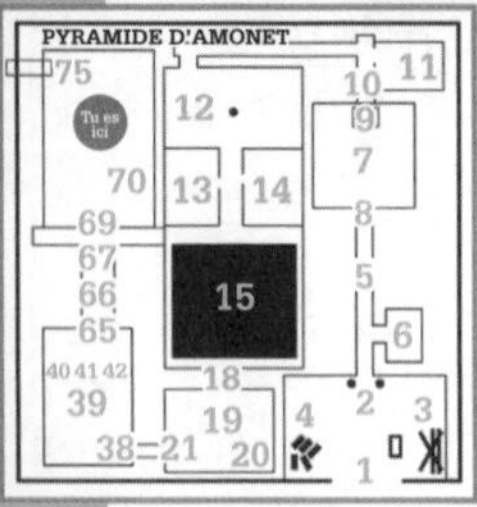

LE CHAR ENDOMMAGÉ

Ta décision prise, tu files vers le char accidenté enfoncé dans le sable. Cachée derrière l'épaisse paroi de métal de l'engin planté dans le sol, tu es pour le moment en sécurité. Tu jettes rapidement un coup d'œil au monstre qui se trouve à quelques mètres de toi. Avant que tu n'aies pu faire quoi ce que soit, la bête balance un énorme coup de queue dans le char, qui vole en éclats. Bousculée, tu tombes dans le sable et tu as juste le temps de filer avant que la queue du crocodile ne s'abatte à nouveau sur le sol. Bebti te suit.

Que veux-tu faire ?

- Aller vers une palissade en bois, **page 73.**
- Courir vers un gros rocher, **page 74.**

La palissade

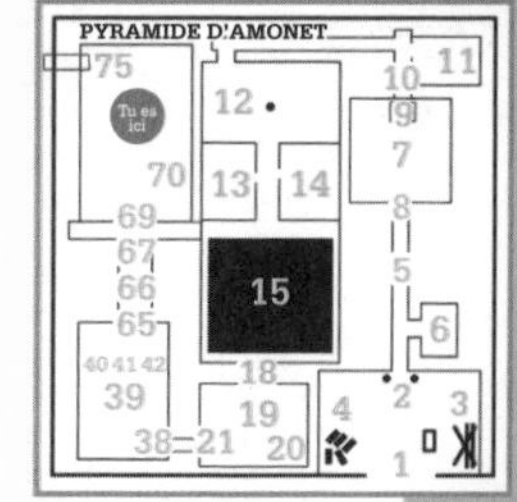

Tout en évitant de regarder la bête, tu fonces à corps perdu vers la palissade en bois qui, de plus près, te paraît soudainement bien légère pour résister au monstre que tu as vu. Au moment où tu l'atteins, la bête est déjà sur toi et tente de te croquer. Tu ne dois la vie qu'à tes bons réflexes, ses crocs sont passés très près de toi. Le crocodile géant te bloquant le passage, tu te diriges droit vers un gros rocher derrière lequel tu pourras te cacher, **page 98.**

Le rocher

Dissimulée derrière le rocher, tu cherches une solution. Devant toi, le monstre se débat, gratte le rocher pour t'atteindre. Au bout de quelques minutes, il s'enfonce à nouveau dans le sable et ne laisse dépasser que ses yeux rouges qui te fixent. Protégée derrière le rocher, tu attends quelques minutes. Le **dieu crocodile** ne bouge plus, parfaitement immobile, comme s'il dormait. Tout est calme.

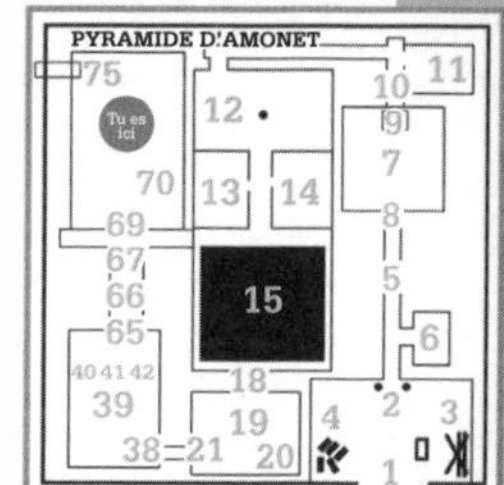

Cette histoire de crocodile te fait penser à Kamal, le charmeur de serpents de la reine. Grâce à sa flûte et à ses mélodies, tu l'as déjà vu endormir des najas, ces serpents caractériels et très venimeux. Tu l'as même vu endormir Arkmat, le crocodile de la reine, grâce à une petite berceuse. Si tu veux prendre le temps de réfléchir, rends-toi **page 101**. Au contraire, si tu souhaites défier le **dieu crocodile**, rends-toi **page 102.**

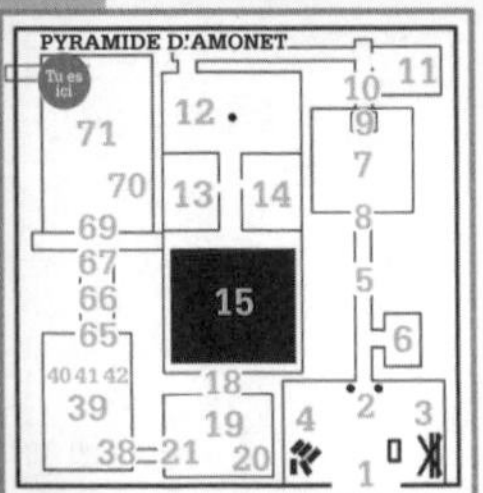

LA SORTIE

Laissant l'arène derrière toi, tu t'avances vers une **porte en pierre** qui se trouve sur la gauche. Dans ton cou, Bebti ronronne comme un chat, très content que tu sois saine et sauve. Arrivée devant la porte, tu sais que tu n'as pas la clé et que tu ne peux pas sortir. Il n'y a pas d'autre issue. Si tu penses que tu peux prendre le temps d'examiner la porte en pierre, rends-toi **page 106.**

140

166-75

75

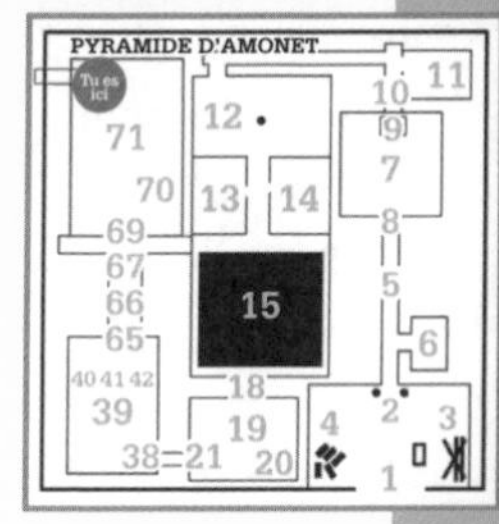
PYRAMIDE D'AMONET
Tu es ici
71
70
69
67
66
65
40 41 42
39
38
21
12
13
14
15
18
19
20
11
10
9
7
8
5
6
2
3
4
1

140

166-75

75

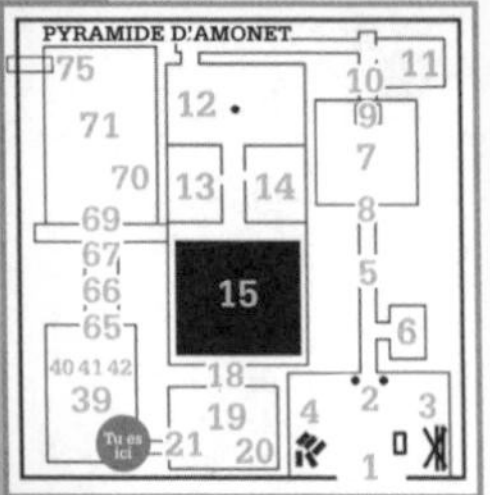

LES PLANCHES

Ne voulant pas jouer ta vie sur un coup de chance, tu regardes les planches devant toi avec attention. Bien entendu, celles qui sont le plus proches sont les plus visibles.

La **planche 1** est noire et pleine de trous. Elle semble totalement vermoulue. Elle va sûrement craquer dès que tu auras mis le pied dessus.

La **planche 2** semble un peu plus solide, comme si elle avait été remplacée il y a peu de temps.

La **planche 3** a été rafistolée. De petits morceaux de bois ont été cloués en travers pour la consolider.

La **planche 4** est plus épaisse que les autres, mais elle luit, comme si une matière visqueuse la recouvrait.

La **planche 5** est criblée de trous. En fait, tu es certaine qu'elle va se briser sous ton poids.

La **planche 6** est à peine visible. Elle brille un peu, mais tu n'es pas certaine de bien voir.

Les **planches 7, 8 et 9** sont trop loin pour que tu puisses les observer en détail.

Retourne **page 38**.

Planches 1, 4 et 7

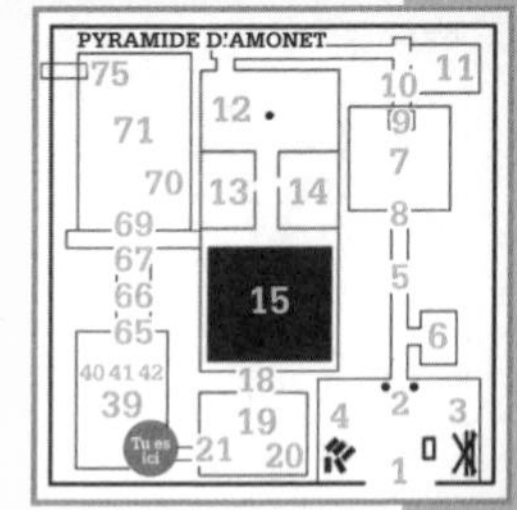

Un peu inquiète, tu poses le pied sur la première planche… qui craque sous ton poids ! Tu te rattrapes de justesse et te remets sur le bord. Retourne **page 38** pour faire un autre choix.

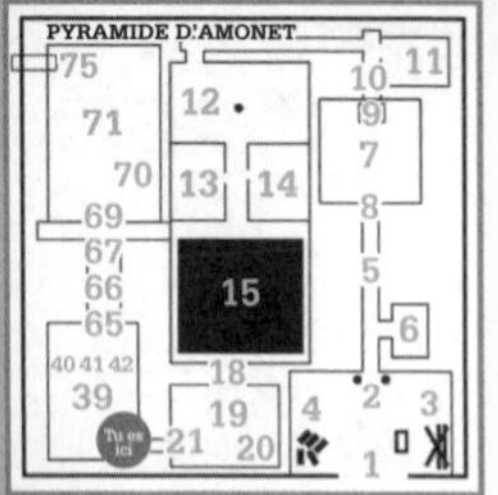

Décidée, tu t'élances sur la planche quand Bebti se met à hurler. Tu poses malencontreusement le pied sur la première planche, qui craque. Tu reviens en arrière. Retourne **page 38** pour faire un autre choix.

PLANCHES 3, 6 ET 9

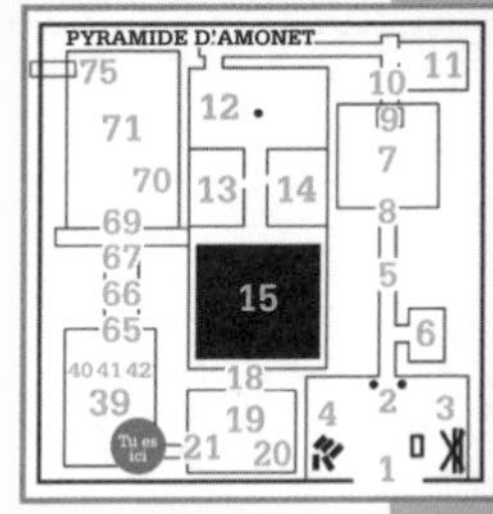

Avant de te lancer dans le vide, sur des planches pourries, tu penses à la reine. Elle a besoin de toi. Décidée, tu t'élances sur la troisième planche 3 – elle tient ! Contente, tu vises la sixième, comme prévu. Ton pied glisse un peu car elle est visqueuse, beurk. Heureusement pour toi, tu as de l'entraînement et tu sautes sans problème sur la planche numéro 9 pour atterrir enfin de l'autre côté du pont. Rends-toi **page 39**.

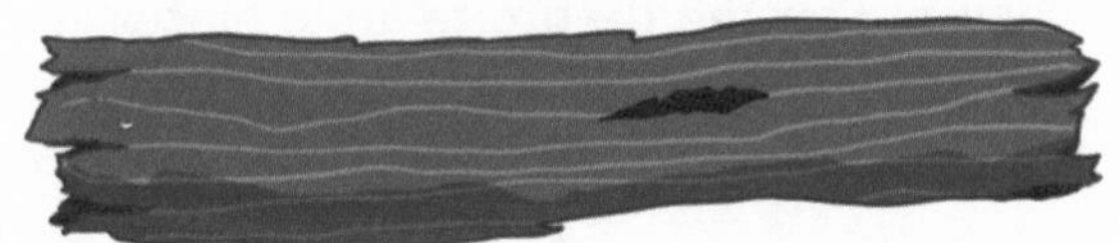

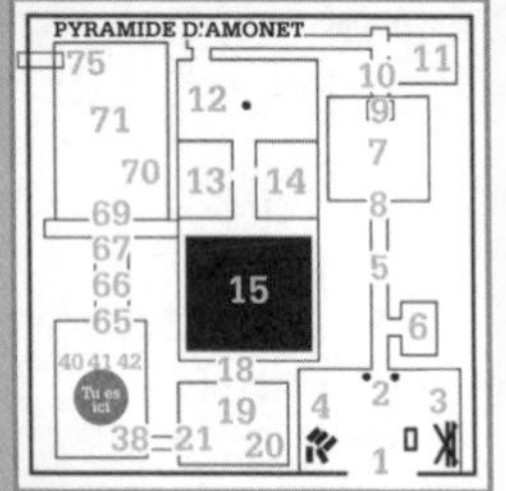

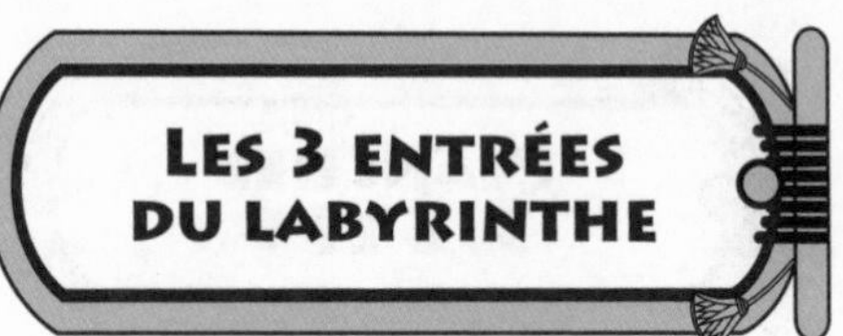

LES 3 ENTRÉES DU LABYRINTHE

Avant de t'engager dans le labyrinthe, tu t'approches des trois entrées dans le but de déceler de précieux indices.

- Arrivée devant l'**entrée gauche**, tu remarques qu'il y a des feuilles séchées sur le sol. Elles semblent être là depuis longtemps et personne n'a l'air d'avoir marché dessus.

- Arrivée devant l'**entrée du milieu**, tu entends un sifflement, comme une étrange musique à tes oreilles. Tu y prêtes attention un instant et comprends qu'il s'agit du vent qui parcourt l'endroit. Le souffle provient probablement de la sortie de l'autre côté.

- Arrivée devant l'**entrée de droite**, tu te pinces le nez. Une insupportable odeur de cadavre envahit l'air et ça te donne envie de vomir.

Retourne **page 39**.

FOUILLER LE TRÉSOR

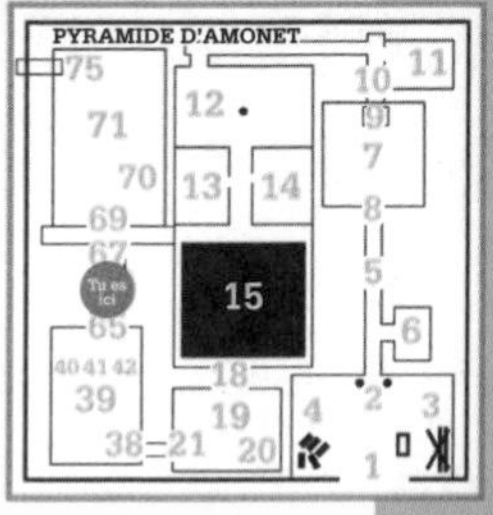

Alors que tu t'apprêtes à fouiller le trésor pour trouver quelque chose d'utile, Bebti saute de ton épaule et commence à escalader un tas d'or en en renversant la moitié. Tu essaies de le retenir et de lui dire de revenir, mais c'est trop tard. Il arrive déjà au sommet et soulève une statue dorée qui lui ressemble comme deux gouttes d'eau. Un mouvement se fait sentir dans la pièce, le tas d'or se met à trembler. Sous tes yeux, des momies en sortent et t'encerclent. Alors que tu essaies de t'échapper, elles te menacent de leurs bras pestilentiels. Au bout de quelques secondes, tu es prise au piège. Rends-toi **page 82.**

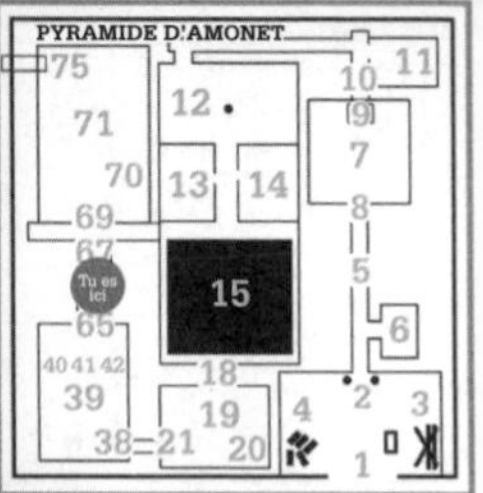

Les momies d'Amonet

Entourée de momies, tu penses que ta dernière heure est venue. Pourtant les momies restent immobiles et tu commences à penser qu'elles ne te veulent pas de mal. Au bout de quelques minutes, tu comprends qu'elles ne bougeront plus, que tu ne risques rien. En revanche, tu es bien prisonnière et elles sont trop grandes pour que tu prennes le risque de les escalader. Tu peux décider d'attendre sagement qu'elles s'en aillent, **page 83**, ou engager le combat, **page 84.**

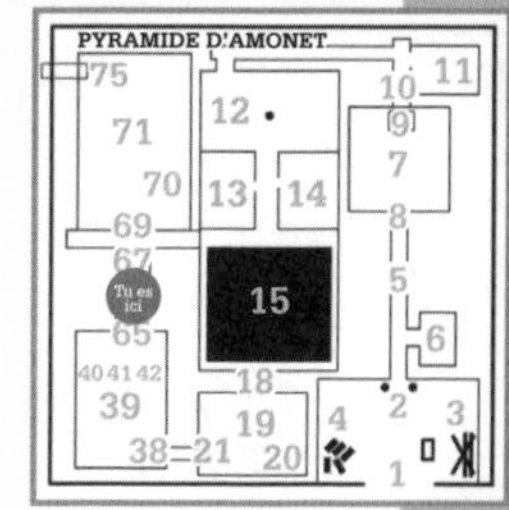

Tu t'assois par terre et attends que quelque chose arrive. Mais il ne se passe rien. Tu perds ton temps. Retourne vite où tu étais, **page 82.**

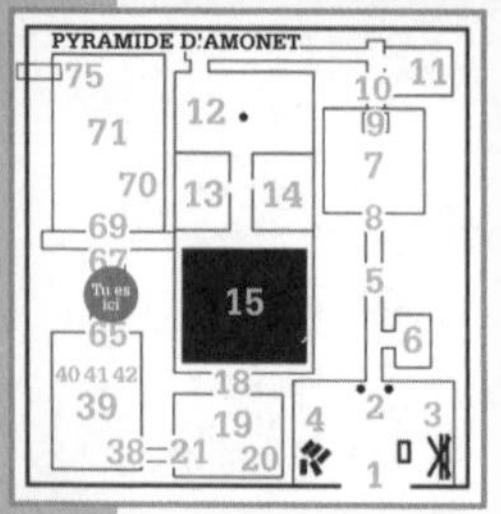

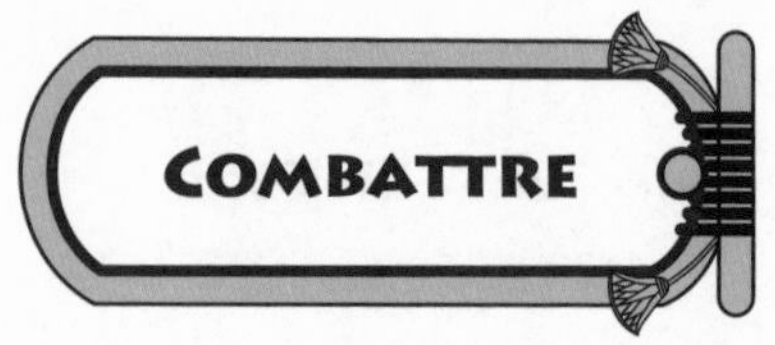

Tu te mets en position de combat et tu te prépares à frapper. Puis tu te rends compte qu'autour de toi rien ne bouge. Tu comprends que tu n'arriveras pas à passer en usant de la violence. Retourne **page 82.**

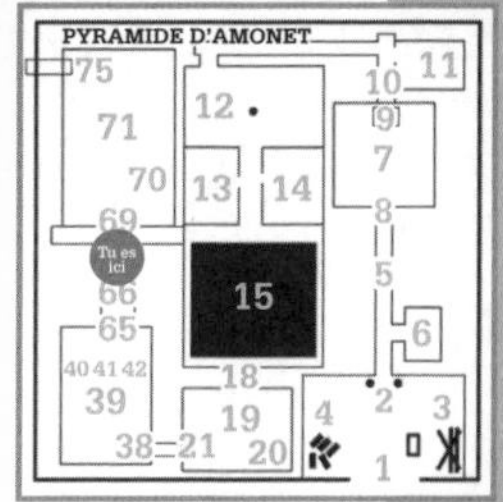

Le sphinx reste un instant silencieux, évalue ta réponse et dit :

« Tu perds du temps, mortelle. Réfléchis. »

Retourne **page 67.**

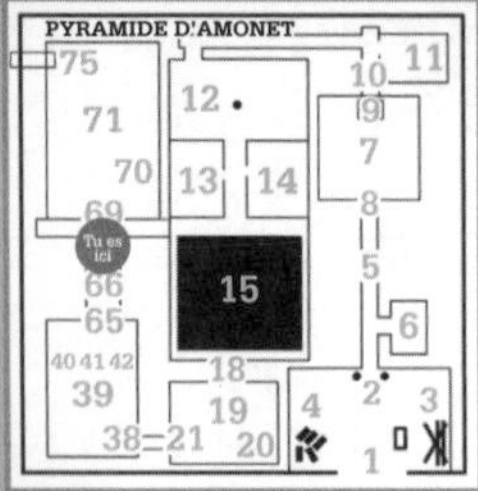

Le sphinx reste un instant silencieux, évalue ta réponse et dit :

« Ta réponse est juste et réfléchie. »

Rends-toi **page 88.**

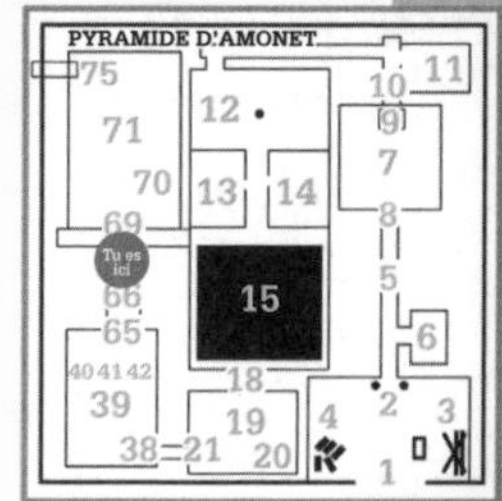

Le sphinx reste un instant silencieux, évalue ta réponse et dit :

« Tu perds du temps, mortelle. Réfléchis. »

Retourne **page 67.**

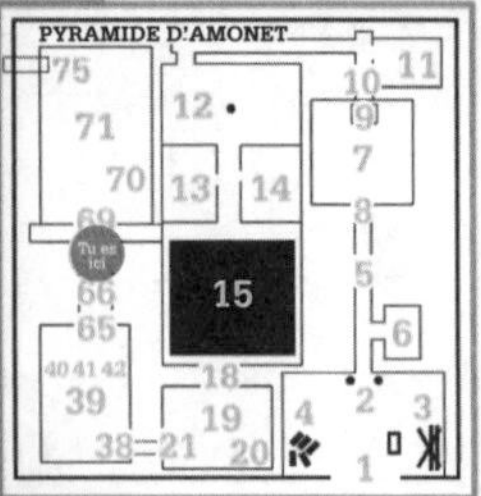

ÉNIGME 2 DU SPHINX

La voix du Sphinx te pose une deuxième énigme : « J'ai une gorge mais ne peux pas parler, je coule mais ne me noie pas, j'ai un lit mais ne dors pas. Qui suis-je ? »

Le sphinx te propose trois nouvelles réponses : tu peux choisir « le crocodile qui dort dans le Nil » **page 89**, « la vie » **page 90,** ou encore « la rivière » **page 91.**

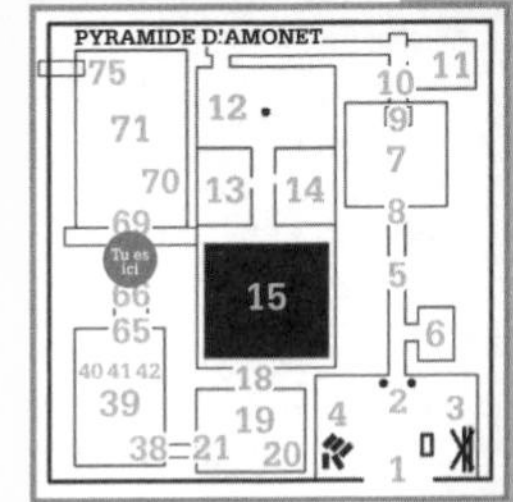

Le sphinx reste un instant silencieux, évalue ta réponse et dit :

« Tu perds du temps, mortelle. Réfléchis. »

Retourne **page 88.**

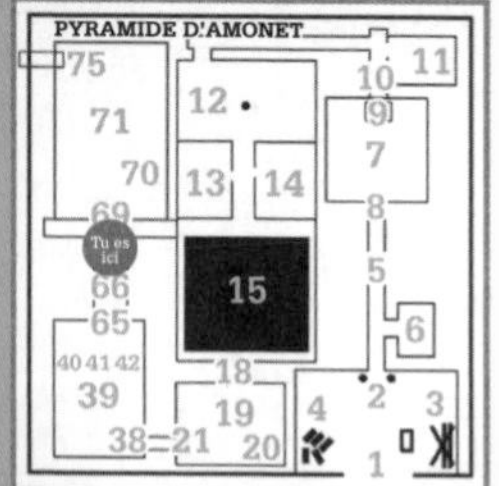

Le sphinx reste un instant silencieux, évalue ta réponse et dit :

« Tu perds du temps, mortelle. Réfléchis. »

Retourne **page 88.**

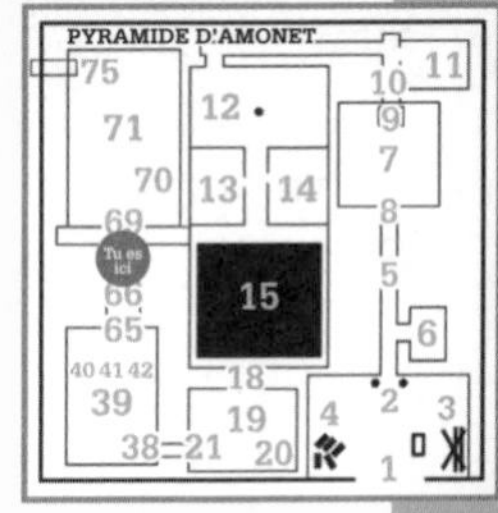

Le sphinx reste un instant silencieux, évalue ta proposition et dit : « Ta réponse est juste et réfléchie. »

Rends-toi **page 92.**

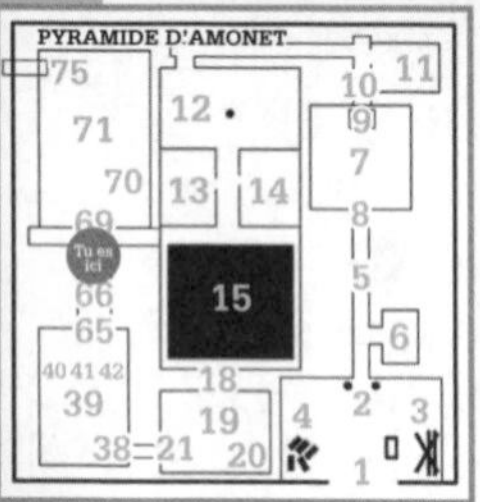

ÉNIGME 3 DU SPHINX

La voix du sphinx te pose une troisième et dernière énigme : « Plus j'ai de gardiens, moins je suis gardé. Moins j'ai de gardiens, plus je suis gardé. Qui suis-je ? »

Le sphinx te propose trois réponses. Tu peux choisir « un phare » **page 93**, « un prisonnier » **page 94** ou « un secret » **page 95.**

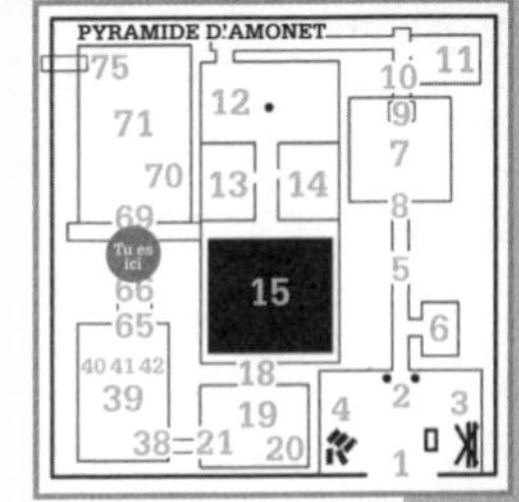

Le sphinx reste un instant silencieux, évalue ta réponse et dit :

« Tu perds du temps, mortelle. Réfléchis. »

Retourne **page 92.**

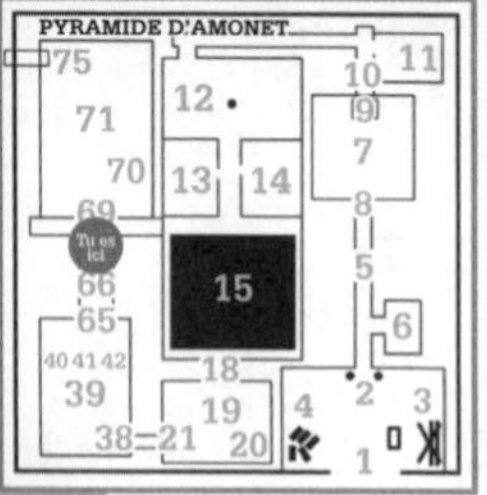

Le sphinx reste un instant silencieux, évalue ta réponse et dit :

« Tu perds du temps, mortelle. Réfléchis. »

Retourne **page 92.**

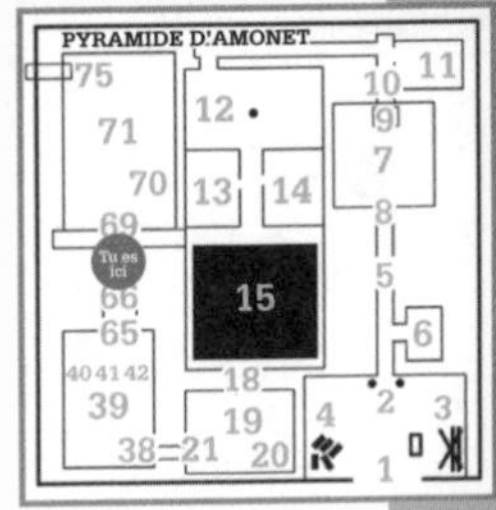

Le sphinx reste un instant silencieux, évalue ta réponse et dit : « Ta réponse est juste et réfléchie, humaine. » Rends-toi **page 68**.

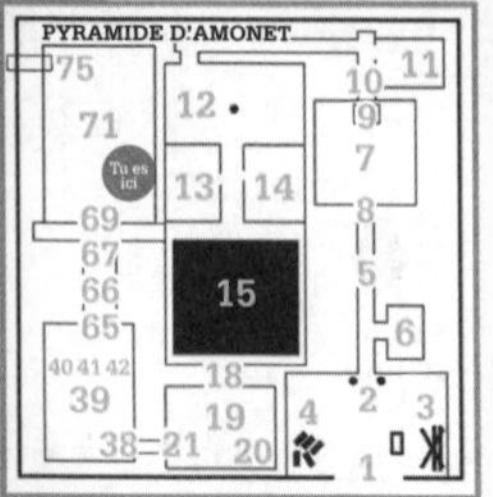

Enragé et armé, Tefnut avance vers toi avec son couteau. Ses intentions sont claires, pourtant, tu n'as pas bougé. Alors qu'il arrive tout près de toi, le prêtre te fait un grand sourire, qui se change en grimace. Bebti vient de lui planter ses crocs dans le cou. Tu en profites pour fuir. Rends-toi **page 71.**

Le combat

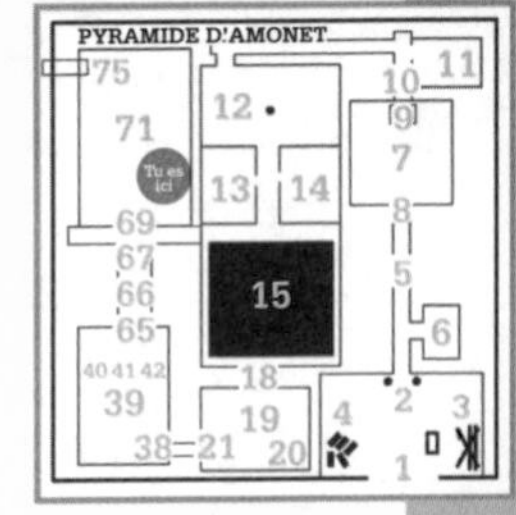

Tu prends une position de combat et te prépares à affronter le prêtre, qui évite ton premier coup, bloque ton bras et se prépare à te blesser de son couteau. Courageuse, tu lui assènes un coup en pleine tête. Tefnut bascule en arrière. Alors qu'il se relève, il te regarde et s'échappe. Au sol, il a laissé un bracelet en or dont Bebti s'empare et qu'il brandit au-dessus de sa tête en guise de victoire. Restée seule avec ton singe, tu regardes autour de toi. L'arène est juste à tes pieds et c'est le seul chemin vers la sortie.

Rends-toi **page 71.**

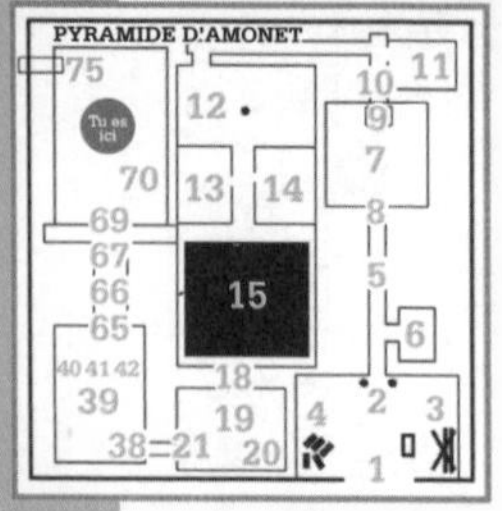

La course

À pleine vitesse, tu foules le sable de l'arène et ta course te paraît interminable. La bête s'est lancée à ta poursuite. Tu jettes un coup d'œil à Bebti, qui comprend que tu n'auras pas le temps d'arriver jusqu'au rocher avant qu'elle ne t'atteigne. Dans l'urgence, tu dois faire un choix : continuer à courir, **page 99,** ou faire face au monstre, **page 100.**

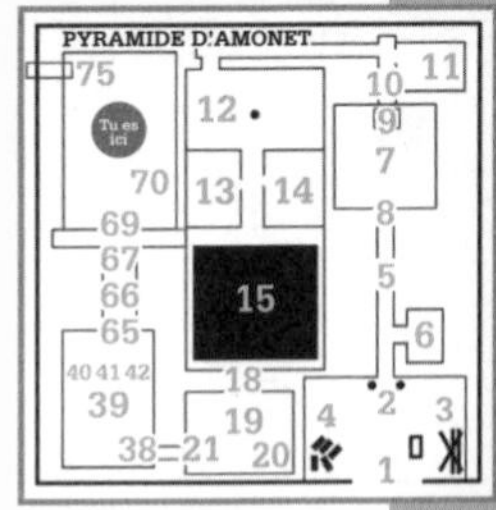

Tu cours. Tu sais que tu n'arriveras jamais au rocher avant que la bête ne t'atteigne... Tu as peut-être été trop optimiste. Le monstre est tout proche, sa gueule grande ouverte va t'avaler. Au moment où tu sens l'odeur fétide de sa gueule, la bête se détourne. Bebti fait diversion et te permet de continuer ta course. Grâce à une glissade finale, tu parviens à te faufiler sous le rocher. Te voilà en sécurité, au moins pour quelques secondes. Rends-toi **page 74.**

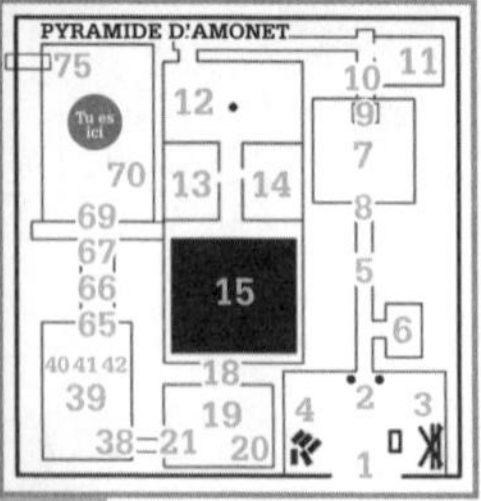

Faire face à un Dieu

Courageuse, et peut-être totalement folle, tu fais volte-face et te positionnes devant le dieu crocodile, qui fonce vers toi à vive allure. Tout en s'avançant dans ta direction, Bebti te fait de grands signes pour que tu prennes la fuite. Quand il voit que tu ne t'en vas pas, il s'arrête net, se met face au monstre et court vers lui. Comprenant qu'il sacrifie sa vie pour sauver la tienne, tu reprends ta course vers le rocher.

Rends-toi **page 74.**

ATTENDRE

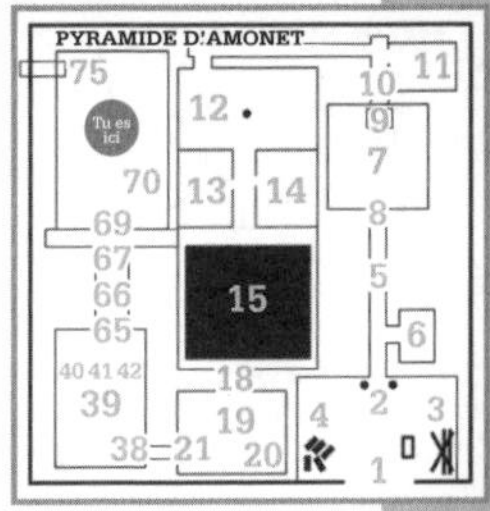

Immobile, calme, tu laisses le temps s'écouler et puis tu te rappelles que ta reine, la divine Cléopâtre est mourante. Tu voudrais agir, mais le monstre est toujours là.

Retourne **page 74.**

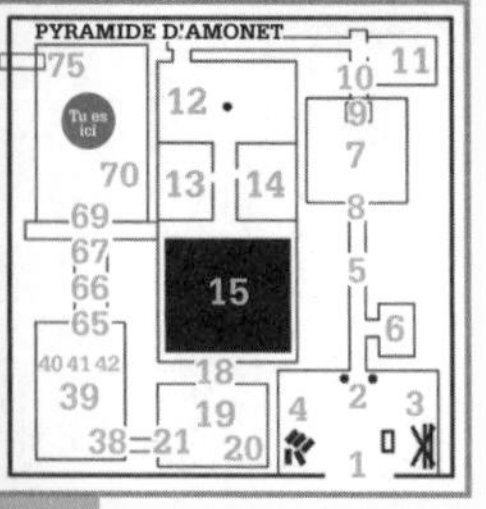

Se battre

Tu sors de ta cachette et tu fais face à ton ennemi, qui s'éveille et commence à bouger vers toi. Vu sa taille et sa puissance, tu te dis qu'il vaut mieux que tu restes cachée pour le moment. Tu retournes sous le rocher en te disant que tu devrais peut-être utiliser une arme ou un objet que tu as sur toi. Retourne **page 74.**

LE DUEL FINAL

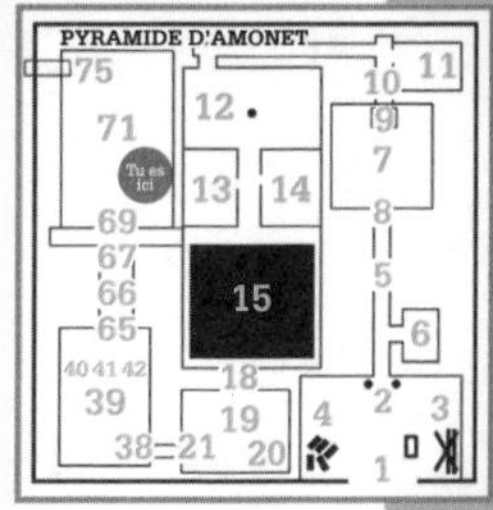

Tu te diriges vers le bout de l'arène. Des yeux, tu cherches Bebti, que tu ne trouves pas. En avançant dans le sable mélangé à des brisures d'os, tu repères, au fond de la pièce, un passage par lequel tu vas pouvoir grimper. Il y manque des pics métalliques dans le mur, ce qui sera un chemin parfait pour toi. Tu t'en approches en pressant le pas. Tu jettes un coup d'œil dans ton dos. Le crocodile ouvre un œil, puis deux et se met à bouger vers toi. Rapidement, tu montes sur les gradins.

À peine es-tu arrivée en haut du mur d'enceinte de l'arène que Tefnut, son couteau étincelant à la main, te saute dessus. Tu évites le coup de justesse. Alors que le traître revient à l'assaut, Bebti sort de l'ombre, lui saute dessus et le mord au visage. Tefnut lâche son couteau et se met à genoux, tordu de douleur. Tu n'as que quelques secondes avant que le prêtre ne retrouve ses esprits. Tu peux fuir vers la porte en pierre, **page 104**, ou ramasser le couteau de Tefnut, **page 105.**

FUIR VERS LA PORTE

Profitant du désarroi du prêtre, tu fuis vers la sortie, mais Tefnut te prend de vitesse et se retrouve face à toi. Te menaçant de son couteau, il te pousse vers l'arène, dans laquelle le monstre s'est réveillé. Les pieds au bord de l'abysse, proche de la mort, toutes tes pensées vont à ta famille et à ta reine. Tefnut te regarde de son œil perçant et meurtrier, il sait qu'il a gagné. Il s'avance brusquement dans l'intention de te pousser. Tu te vois déjà tomber dans la gueule du dieu crocodile et finir digérée pour l'éternité. Au dernier instant, ton corps est mu par un ultime réflexe, tu fais un pas sur le côté, comme quand ton petit frère Ajar te court après pour jouer. Étonné par ta vivacité, Tefnut n'a pas le temps de reprendre son équilibre. Il bascule dans l'arène. Il est trop tard pour l'aider. Le monstre crocodile est déjà là. Lorsqu'il s'enfonce à nouveau dans le sable, Tefnut a disparu. Bebti te saute dans les bras, visiblement très heureux de te retrouver. Tu jettes un dernier coup d'œil dans l'arène. Tout est calme. Rends-toi **page 75.**

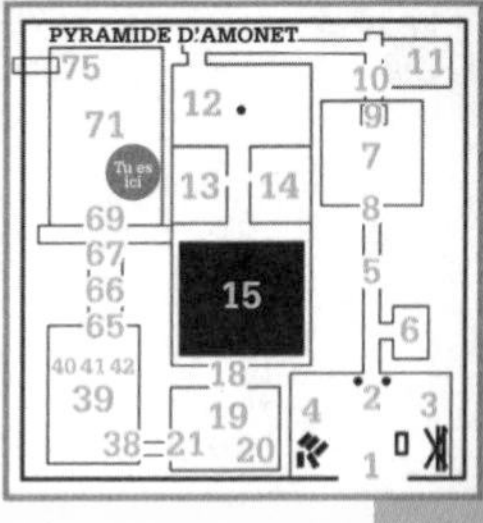

Rapidement, tu plonges vers le couteau qui gît au sol, mais Tefnut est plus rapide que toi et le saisit avant que tu ne puisses mettre la main dessus. Alors que vous êtes tout proches, le prêtre aux yeux démoniaques essaie de t'enfoncer son couteau entre les côtes. Il te blesse au bras et tu te mets à saigner. Alors que tu tiens ta blessure, Bebti se dresse devant toi pour faire barrage. Tefnut envoie un grand coup de pied dans ton petit singe, qui est éjecté sur le côté. Triomphant, Tefnut s'avance vers toi en prenant le soin de préparer son arme, mais le sang de sa blessure au visage gêne sa vision. Alors qu'il est tout proche, Bebti revient à la charge et mord Tefnut au pied. Tu te précipites vers lui et, un peu malgré toi, tu bouscules le traître, qui bascule en arrière et tombe dans l'arène au moment où le monstre crocodile passe. Le démon gobe Tefnut tout entier et disparaît dans les profondeurs sablonneuses. Bebti te saute dans les bras, visiblement très heureux de te retrouver. Tu jettes un dernier coup d'œil dans l'arène. Tout est calme. Rends-toi **page 75.**

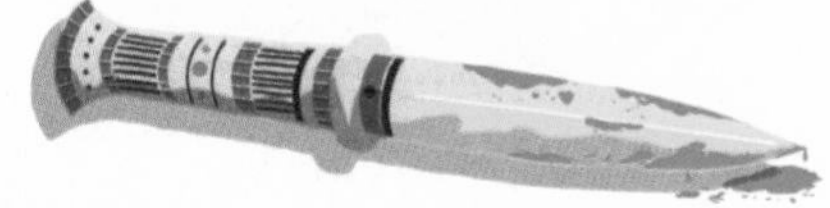

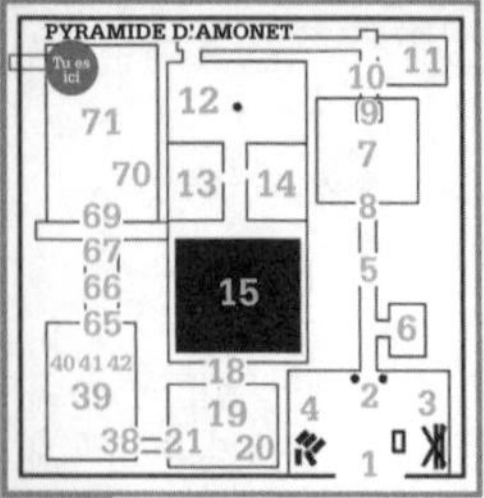

LA PORTE EN PIERRE

Fébrile, tu t'approches de la porte en pierre. Tu sens que la sortie est juste là, derrière. Ton salut. La vie de Cléopâtre dépend entièrement de ta concentration. Il doit y avoir un moyen de sortir de cette maudite pyramide, un moyen d'ouvrir cette satanée porte en pierre. Tu la regardes avec attention. Au centre de la porte se trouve une cavité en forme de scarabée.

Retourne **page 75.**

CHERCHER LA REINE

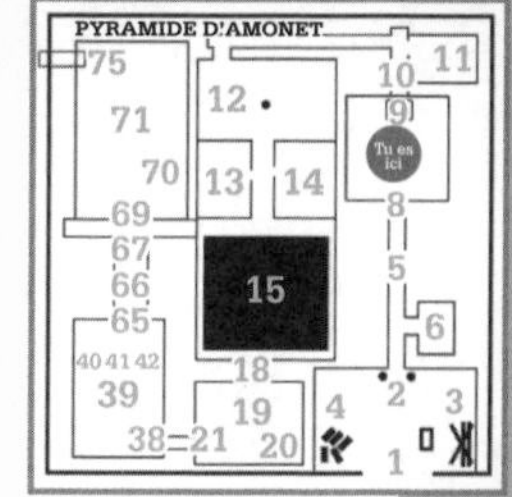

Heureusement pour toi, ton chameau est toujours là où tu l'as laissé en arrivant. Tu fouilles dans tes sacoches et tu trouves l'herbe médicinale que ton maître t'a donnée. Sans réfléchir aux conséquences, tu cours à perdre haleine vers la grande salle d'entrée de la pyramide.

Les gardes qui t'ont accueillie ne sont plus là, la grande salle est vide. Comme tu connais le chemin, tu files tout droit à travers le grand couloir et arrives devant la porte en pierre abaissée par Tefnut lors de sa fuite. Tu bascules le levier et la porte se soulève. Depuis que tu l'as quittée, la pièce semble s'être remplie de sable, si bien que tu ne distingues plus Cléopâtre. Tu commences à penser que ta reine a été ensevelie.

Tu montes sur la dune qui s'écoule encore et tu cherches Cléopâtre tout autour de toi. Tu peux hurler le nom de la reine, **page 108**, attendre pour voir ce qui se passe, **page 109,** ou commencer à creuser le sable, **page 110.**

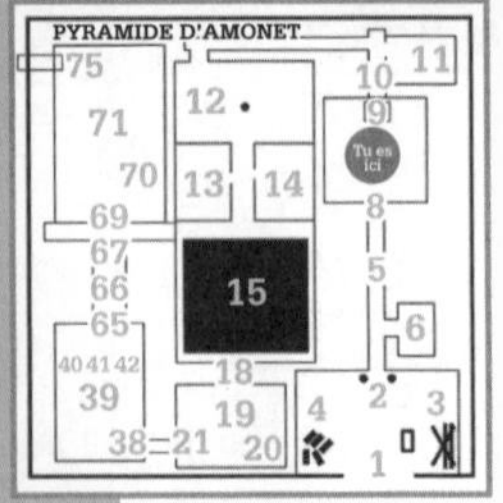

Tu hurles, tu appelles, tu cries le nom de ta reine, mais rien n'y fait, personne ne te répond. Retourne **page 107.**

ATTENDRE LA REINE

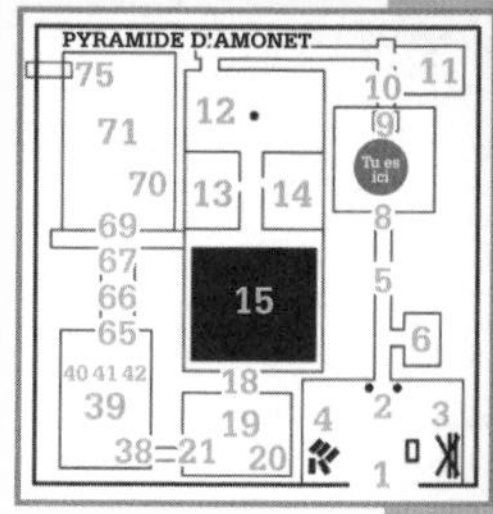

Perchée sur le tas de sable, tu regardes autour de toi, espérant apercevoir un signe de la reine. Rien, tu ne vois rien. Tu perds juste ton temps. Retourne **page 107.**

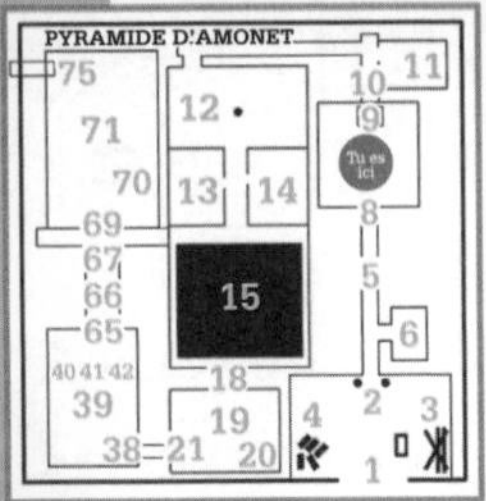

CREUSER LE SABLE

Tu te mets à genoux et tu commences à creuser dans le sable où tu as laissé ta reine. Bebti creuse avec toi et il est très rapide. Tu commences à fatiguer quand ta main touche quelque chose.

Rends-toi **page 112.**

111

Bienvenue dans la page secrète de ce livre. Si tu es arrivée ici, c'est que les dieux sont avec toi et qu'ils vont te permettre de comprendre différents mystères de la pyramide.

- Pour sortir du labyrinthe, prends la porte de droite, va au nord trois fois et tu seras dehors.

- Avant la fin de ton périple, Tefnut, le prêtre du dieu Amonet, essaiera de t'assassiner. Sois sur tes gardes.

- La réponse à la première question du sphinx est l'horizon.

- Il n'existe que deux manières de vaincre le monstre que tu combattras à la fin de ton voyage : une par les armes, l'autre par la musique.

- Ne répète à personne que tu as trouvé cette page et reprends vite ton aventure à la page où tu l'as laissée.

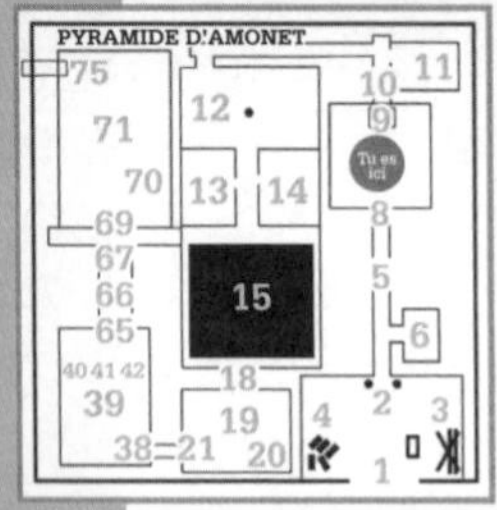

CLÉOPÂTRE

La main de Cléopâtre ! Tu tiens la main de Cléopâtre dans la tienne ! Rapidement, Bebti et toi dégagez son corps. Tu mets ton oreille sur son cœur. Boum ! Boum ! Boum ! La reine est vivante ! Tu sors de ta tunique ta bourse d'herbes médicinales et tu forces la reine à en avaler. Tu ne sais pas si cela va faire effet. Tu restes là un moment, dans la grande salle de cérémonie. La statue du dieu Amonet te surplombe. Tu serres ta reine contre toi, en espérant qu'elle vive. Rends-toi **page 113.**

MÉDECIN DE LA REINE

Dans la grande salle du palais de Cléopâtre, à genoux, la tête baissée vers le sol de marbre, tu attends. Tes habits de lin et d'argent brillent, et tu as l'étrange sensation de ne pas être tout à fait à ta place.

Dans la salle, tous les invités et les gens de la cour ont le regard braqué sur toi. Un frisson parcourt la foule. Une voix te demande de relever la tête.

Lorsque tu lèves les yeux, c'est pour voir Cléopâtre, ta reine, dans son habit d'or. Elle est resplendissante. Elle descend les quelques marches qui vous séparent, s'approche et te demande de te relever.

Debout, immobile, tu fais face à la reine. Vos regards se croisent et ne se quittent plus. Tu sais que vous n'aurez plus jamais vraiment besoin de mots.

144

Cléopâtre te tend un bijou que tu connais bien : l'œil d'Horus qu'elle portait autour du cou dans la pyramide. Tu acceptes ce présent et tu la remercies en baissant les yeux.

D'un geste doux et gracieux, Cléopâtre te relève le menton et te regarde en disant : « Je te dois la vie, Nyssa Uhmi. Sache que tu es ici chez toi, pour la vie. Désormais, tu es libre de rester auprès de moi ou de partir découvrir le monde pour lui donner les belles qualités que tu possèdes. »

Désormais, le monde est à toi. Il t'attend. Que veux-tu faire ?

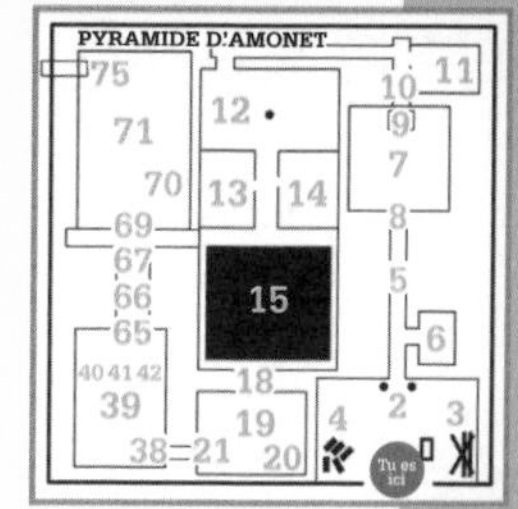

Tout en lui chatouillant les bajoues, tu demandes à ton petit singe doux et poilu de fouiller la salle.

Bebti te fait un grand sourire, saute de ton épaule et regarde tout autour de lui. Soudain, il part comme une flèche et fait le tour de la pièce. Tour à tour, il renifle, il tâtonne, il piaille d'impatience. Quand il a fini, il remonte sur ton bras et, l'air désolé, écarte les mains, un peu déçu de n'avoir rien trouvé et de ne pouvoir t'aider plus. Retourne **page 1.**

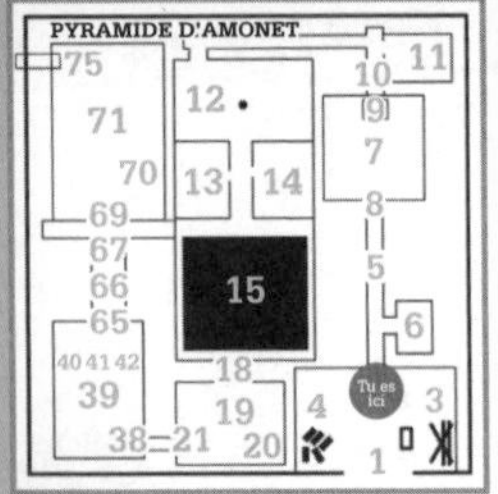

BEBTI FAIT LA GRIMACE

Tout en lui chatouillant les bajoues, tu demandes à ton petit singe doux et poilu de fouiller la salle. Il te fait signe qu'il ne veut pas bouger mais tu insistes. L'air mécontent, Bebti saute au sol, renifle, regarde de tous les côtés et revient se planter devant toi, te faisant signe qu'il n'a rien trouvé.

Retourne **page 2.**

Bebti et le tas de bois

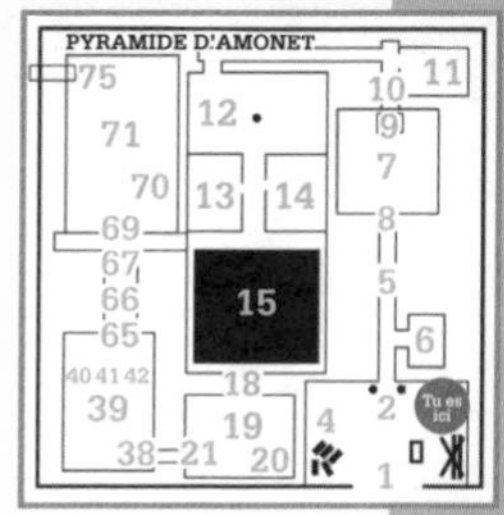

Tout en lui chatouillant les bajoues, tu demandes à ton petit singe doux et poilu de fouiller la salle.

Rapide et arborant un grand sourire, Bebti passe sous les grosses poutres en criant. C'est alors que tu entends un craquement. Le tas de poutres en désordre se met à pencher vers toi. Par peur d'être écrasée, tu recules, et tu fais bien. Deux énormes poutres roulent jusqu'à toi et s'arrêtent à tes pieds. Alors que tu demandes ce qui est arrivé, Bebti se montre, tout sourire. Il tient dans ses pattes une petite **torche** éteinte sur laquelle se trouvent encore quelques bouts de paille.

Retourne **page 3.**

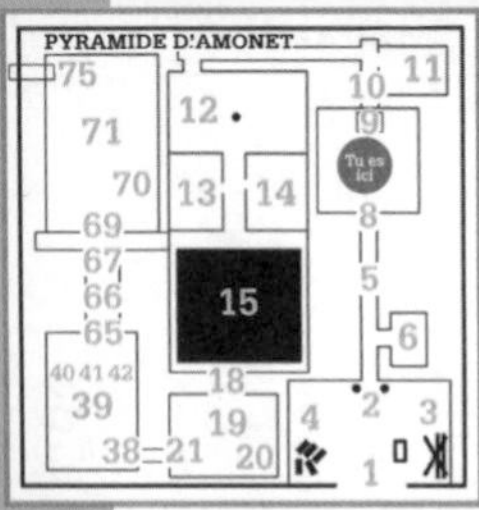

Tout en lui chatouillant les bajoues, tu demandes à ton petit singe doux et poilu de fouiller la salle. Il te fait signe qu'il ne veut pas bouger mais tu insistes. L'air mécontent, Bebti saute au sol, renifle, regarde de tous les côtés et revient se planter devant toi, te faisant signe qu'il n'a rien trouvé.

Retourne **page 7.**

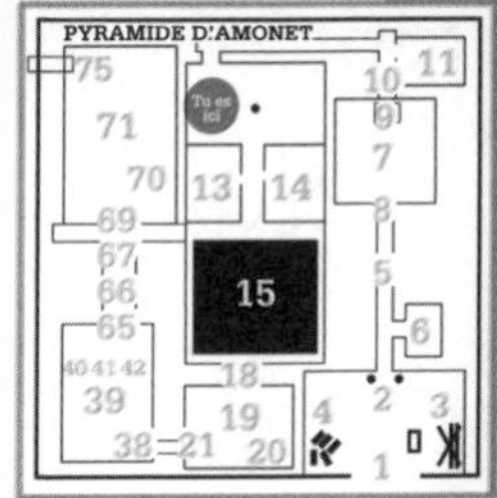

Tout en lui chatouillant les bajoues, tu demandes à ton petit singe doux et poilu de fouiller la salle.

Bebti te fait un grand sourire, saute de ton épaule et regarde tout autour de lui. Soudain, il part comme une flèche et fait le tour de la pièce. Tour à tour, il renifle, il tâtonne, il piaille d'impatience. Quand il a fini, il se dirige vers une statue et la gratte avec ses petites mains, t'indiquant quelque chose. Tu scrutes la statue, tu cherches un interstice, une ouverture, mais tu ne trouves rien.

Retourne **page 12.**

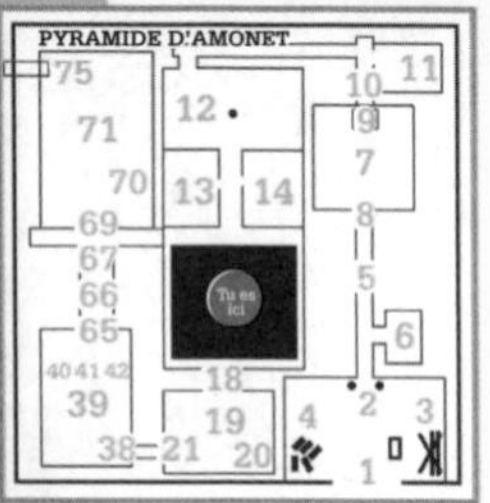

Bebti et la mer de sable

Tout en lui chatouillant les bajoues, tu demandes à ton petit singe doux et poilu de marcher dans la grande salle pour tester le sol. Bebti te fait non de la tête, car il a très peur du sable et du danger. Bien décidée à le convaincre, tu lui assures qu'il aura droit à des gâteaux aux dattes s'il fait ce que tu lui demandes. Ouvrant grand les yeux et se frottant le ventre, Bebti saute sur le sol d'un air craintif.

Alors qu'il marche sur le sable, il entend un bruit, s'immobilise, puis... rien. Il finit par arriver de l'autre côté et saute de joie en te regardant. Rends-toi **page 15.**

Bebti te sauve la mise... ou pas

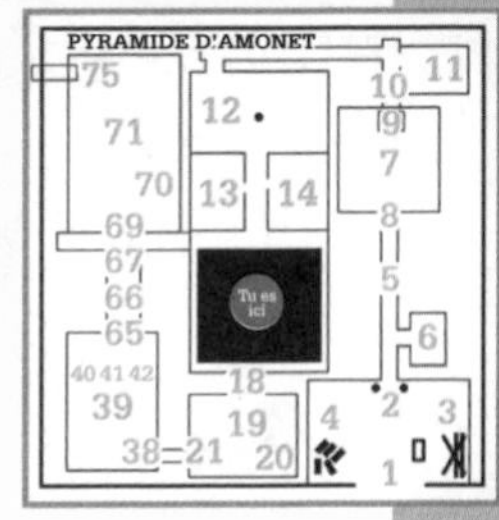

Paniquée à l'idée de te faire dévorer par le scorpion, tu fais de grands signes à Bebti afin qu'il fasse diversion. Malheureusement, ton ami poilu ne l'entend pas de cette oreille et son courage reste dans le panier. Rends-toi **page 16.**

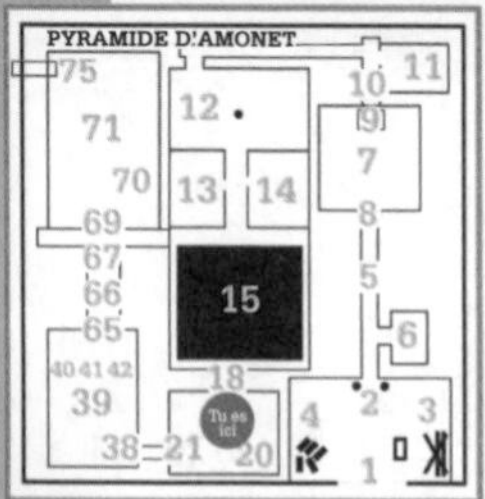

BEBTI GRATTE

Tout en lui chatouillant les bajoues, tu demandes à ton petit singe doux et poilu de fouiller la salle. Bebti te fait un grand sourire, saute de ton épaule et regarde tout autour de lui. Soudain, il plonge dans l'eau et t'éclabousse au passage. Il a l'air très content de lui et se paie ta tête. Rends-toi **page 19.**

Bebti pense que tu devrais utiliser quelque chose

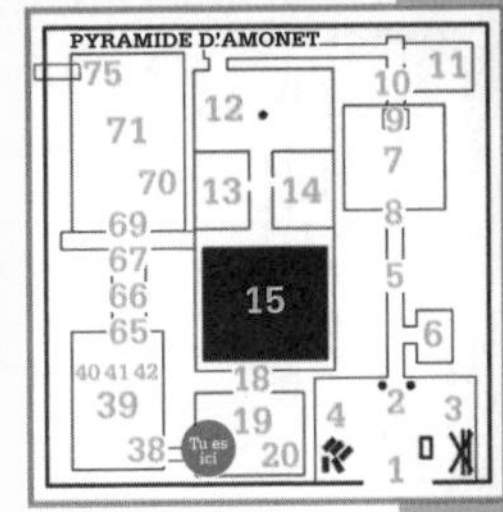

Tu demandes l'avis de Bebti, car tu ne sais pas comment ouvrir cette porte. Ton ami poilu commence à te faire les poches pour essayer de trouver un objet que tu aurais sur toi. Retourne **page 21.**

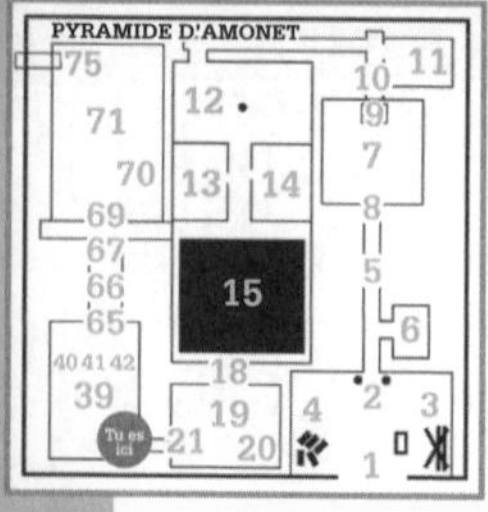

Bebti et le pont

Tout en lui chatouillant les bajoues, tu demandes à ton petit singe doux et poilu de se rendre de l'autre côté du pont en testant les planches pour voir leur solidité. Sentant qu'il va jouer sa vie, ton ami commence par dire non, mais tu insistes. Bebti pose sa patte sur la première planche, qui ne craque pas ; sur la seconde, qui ne craque pas, et ainsi de suite. Arrivé de l'autre côté, ton ami poilu lève le pouce et te tend la main pour que tu le rejoignes. Tu as appris au moins une chose : ton singe est trop léger pour que son poids ait un impact sur les planches. Rends-toi **page 38.**

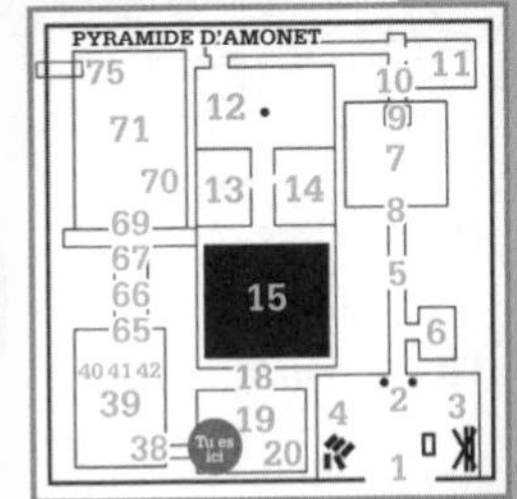

Tu demandes son avis à Bebti car tu ne sais pas comment ouvrir cette porte. Ton ami poilu commence à te faire les poches pour essayer de trouver un objet que tu aurais sur toi. Retourne **page 21.**

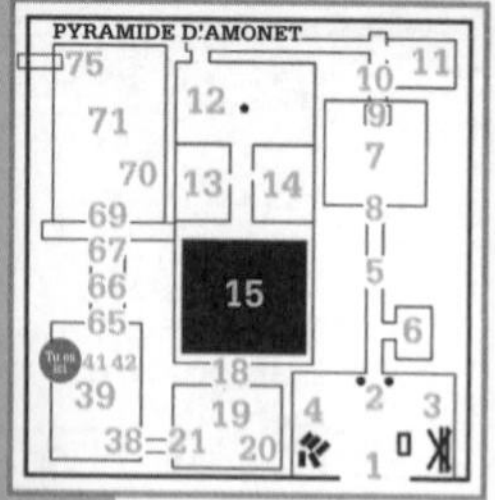

Demander à Bebti de renifler l'entrée de gauche

Tu demandes son avis à Bebti au sujet de l'entrée de gauche. Le petit singe s'en approche, la renifle et se retourne vers toi en ouvrant les bras. Retourne **page 40.**

DEMANDER À BEBTI DE RENIFLER L'ENTRÉE DU MILIEU

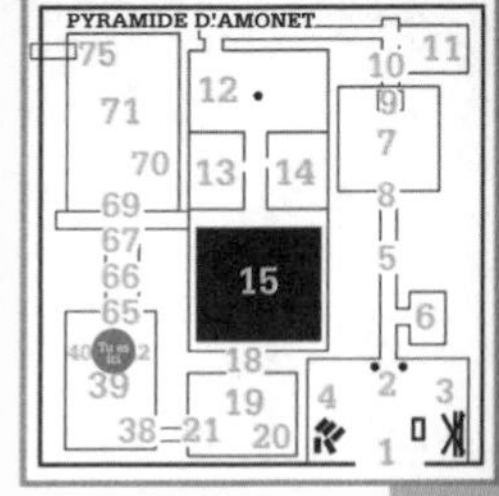

Tu demandes son avis à Bebti au sujet de l'entrée du milieu. Le petit singe s'en approche, la renifle et se retourne vers toi en se bouchant les oreilles. Tu comprends qu'il a entendu quelque chose de désagréable. Retourne **page 41**.

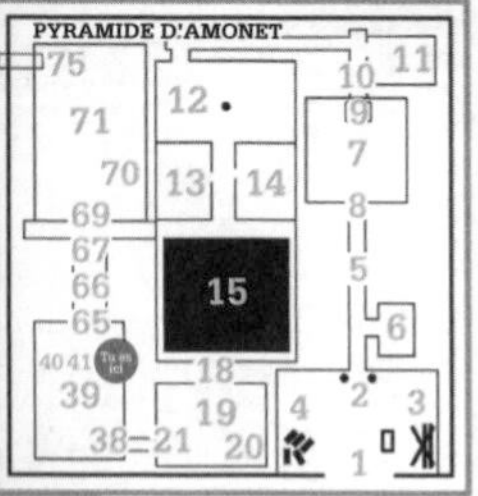

Bebti se bouche le nez

Tu demandes l'avis de Bebti avant de choisir une direction. Le petit singe s'approche des portes une à une, les renifle et se retourne vers toi en désignant les entrées de gauche et du milieu, mais pas celle de droite. Quand tu lui demandes pourquoi, il te répond en tirant la langue et en se bouchant le nez. Retourne **page 42.**

DEMANDER À BEBTI QUELLE DIRECTION PRENDRE

Perdue, tu demandes à Bebti d'utiliser son flair légendaire pour t'indiquer la sortie. Il te désigne la direction de l'ouest. Retourne **page 44.**

Bebti te donne la direction

Perdue, tu demandes ton chemin à ton ami poilu. Bebti se lève, renifle l'air, regarde à droite et à gauche et t'indique la direction du nord. Retourne **page 48.**

Perdue, tu demandes à Bebti d'utiliser son flair légendaire pour t'indiquer la sortie. Il te désigne la direction de l'ouest. Retourne **page 50.**

DEMANDER À BEBTI QUELLE DIRECTION PRENDRE

Perdue, tu demandes à Bebti d'utiliser son flair légendaire pour t'indiquer la sortie. Il te désigne la direction du nord. Retourne **page 52.**

Demander à Bebti quelle direction prendre

Perdue, tu demandes à Bebti d'utiliser son flair légendaire pour t'indiquer la sortie. Il te désigne la direction du nord. Retourne **page 54.**

BEBTI TE DONNE LA DIRECTION

Perdue, tu demandes ton chemin à ton ami poilu. Bebti se lève, renifle l'air, regarde à droite et à gauche et t'indique que vous êtes tout près de la sortie. Il est très excité et saute partout. Retourne **page 56.**

Perdue, tu demandes à Bebti d'utiliser son flair légendaire pour t'indiquer la sortie. Il te désigne la direction de l'ouest. Retourne **page 57.**

BEBTI TE DONNE LA DIRECTION

Perdue, tu demandes ton chemin à ton ami poilu. Bebti se lève, renifle l'air, regarde à droite et à gauche et t'indique la direction du sud. Retourne **page 59.**

BEBTI TE DONNE LA DIRECTION

Perdue, tu demandes ton chemin à ton ami poilu. Bebti se lève, renifle l'air, regarde à droite et à gauche et t'indique la direction de l'est. Retourne **page 62.**

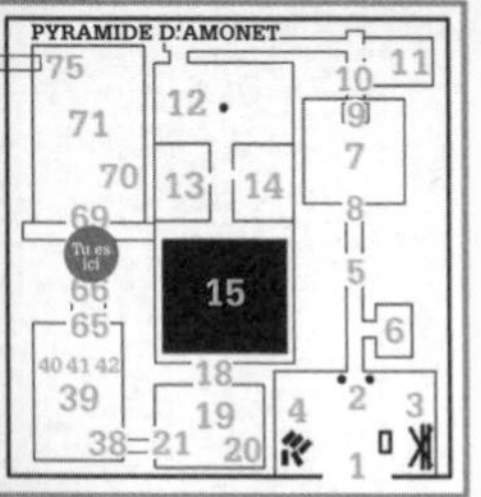

Bebti veut fuir

Tout en lui chatouillant les bajoues, tu demandes à ton petit singe doux et poilu de se tenir tranquille. Lui n'a qu'une envie, quitter cet endroit et fuir ce monstre affreux. Retourne **page 67.**

DEMANDER À BEBTI OÙ ALLER

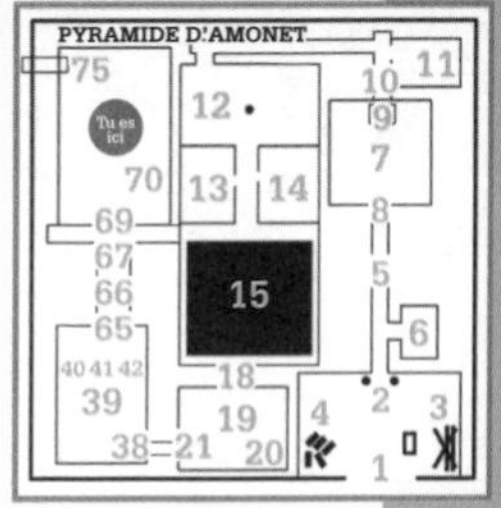

Tu regardes Bebti en lui demandant à quel endroit il irait pour se cacher du monstre. Ton ami poilu te désigne le gros rocher au loin. Retourne **page 71.**

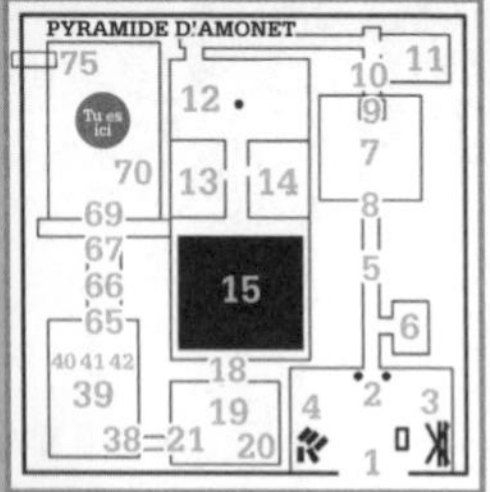

APPELER BEBTI

Te rendant compte que Bebti n'est plus à tes côtés, tu appelles doucement ton ami : « Bebti, Bebti ». Puis tu écoutes pour savoir si un bruit te permettrait de savoir qu'il est vivant. Tu n'entends rien.

Retourne **page 74.**

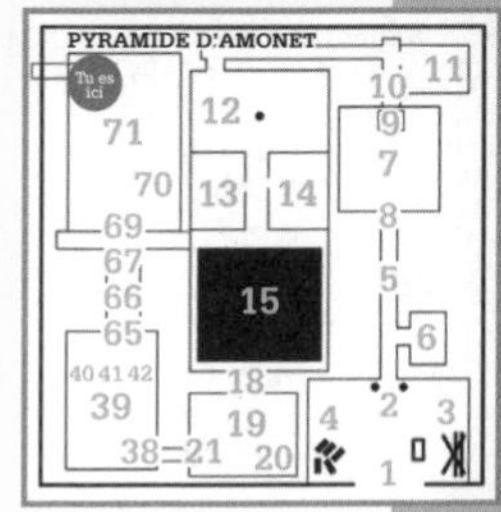

Tu regardes ton ami poilu et tu lui demandes de t'aider à sortir de la pyramide en trouvant un passage. Petit et agile, Bebti regarde autour de lui, lève la tête et part à toute vitesse vers les hauteurs. À cinq mètres au-dessus de toi, le singe passe par une petite cavité ouverte dans la paroi de la pyramide. Tu attends un moment que la porte en pierre s'ouvre, espérant que ton ami a trouvé le système d'ouverture. Tout à coup, quelqu'un te frappe doucement sur l'épaule. Bebti est revenu à toi, il te tend la patte. Il l'ouvre au-dessus de la tienne. Du sable coule dans ta main. Ce n'est pas comme ça que vous allez sortir d'ici. Rends-toi **page 75.**

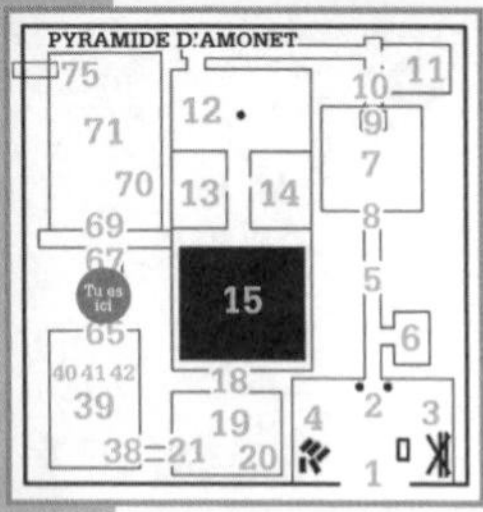

Bebti et la statue en or

Coincée, tu demandes à Bebti de t'aider à sortir du cercle dans lequel tu es prisonnière. Peureux, le petit singe te fait « non » de la tête tout en serrant très fort contre lui la petite statuette en or qui lui ressemble. Tu prends ton air le plus sérieux et lui ordonnes cette fois-ci de venir tout de suite. Impressionné, ton petit ami lâche son butin et vient vers toi. Aussitôt, les momies se désagrègent. En tombant au sol, elles redeviennent poussière.

Retourne **page 65.**

Bebti fait diversion

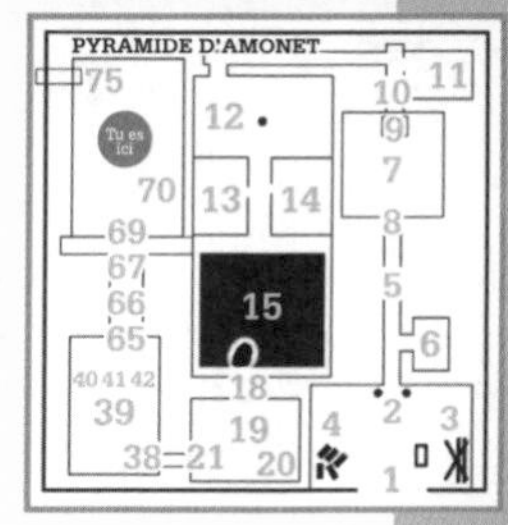

Tu sais que c'est risqué, mais tu tentes le coup. Tu demandes à Bebti de faire diversion pour retarder la bête et te laisser le temps de te cacher sous le rocher. Plein de malice, le petit singe te fait un clin d'œil et part en direction du monstre, qui ralentit en le voyant. Quelques mètres te séparent encore du rocher. Tu fais une glissade et tu te faufiles derrière juste avant que la bête n'arrive à ta hauteur. Bebti a disparu.

Va vite **page 74.**

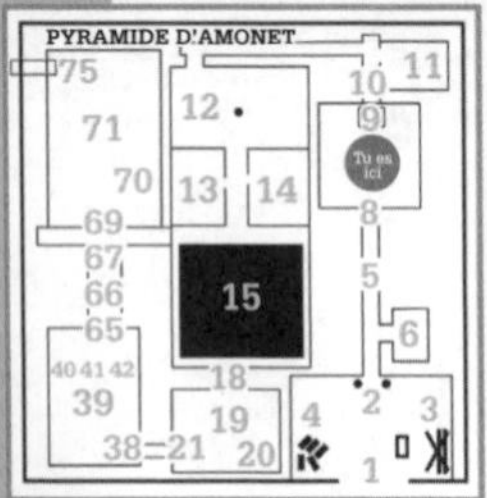

DEMANDER À BEBTI DE CREUSER AVEC TOI

Tu te mets à genoux et tu commences à creuser dans le sable où tu as laissé ta reine. Bebti creuse avec toi et il est très rapide. Tu commences à fatiguer quand ta main touche quelque chose.

Rends-toi **page 112**.

Bebti et les dattes

Alors que tu quittes la grande salle de réception, tu entends un petit cri. Tu te retournes et t'aperçois que tu es poursuivie, non pas par un monstre, mais par ton adorable petit singe vêtu de rouge et d'or. Il grimpe sur ton bras et vient se nicher dans le creux de ton épaule. Visiblement, il a quelque chose dans la bouche. En souriant, il te montre des dattes qu'il a volées à la fête et vous éclatez de rire.

ESCAPE

LIVRET D'ACTIONS

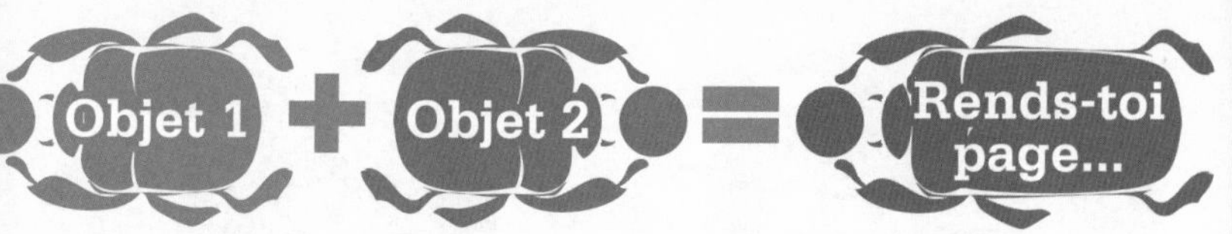

Dans cette partie du livre, tu peux utiliser des objets pour progresser dans l'histoire ou faire des actions particulières proposées dans le livre d'aventure.

Pour utiliser des objets, tu dois juste en choisir deux à employer ensemble et les trouver dans le tableau sur le rabat droit (il y en a un dans une ligne et un dans une colonne). Au croisement des deux, tu trouveras la page à laquelle te rendre pour savoir ce qui se passe quand tu les combines. Amuse-toi bien !

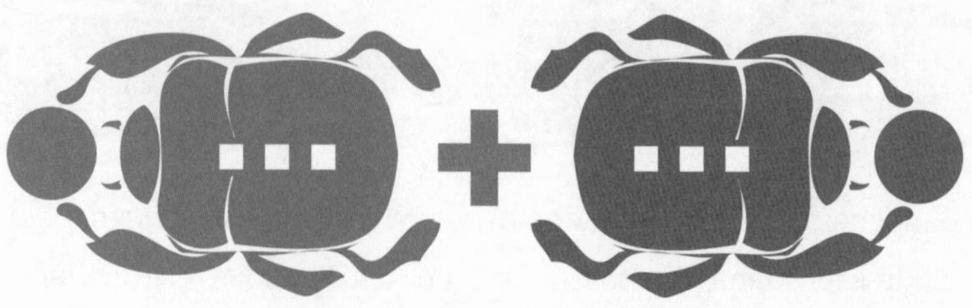

Tu essayes d'utiliser ces deux objets ensemble et cela ne produit rien du tout. Retourne à la page du livre d'aventure à laquelle tu te trouvais.

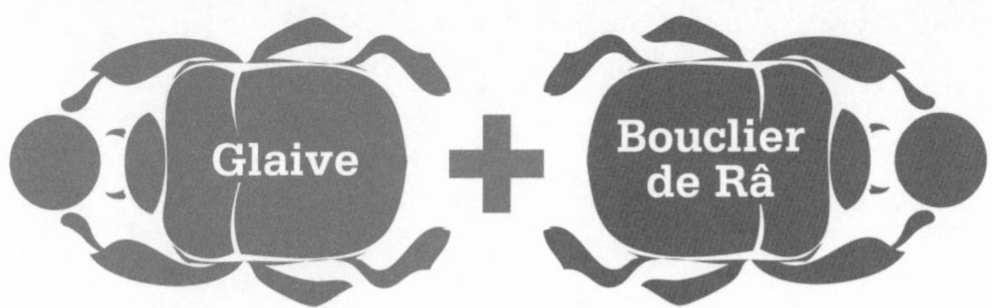

Tu approches les deux superbes objets, le glaive et le bouclier. L'un et l'autre semblent vibrer du même éclat, du même pouvoir, comme s'ils appartenaient à une divinité puissante. Des voix divines résonnent dans ta tête, t'assurant qu'avant la fin du jour, tu seras victorieuse. Retourne à la page du livre d'aventure à laquelle tu te trouvais.

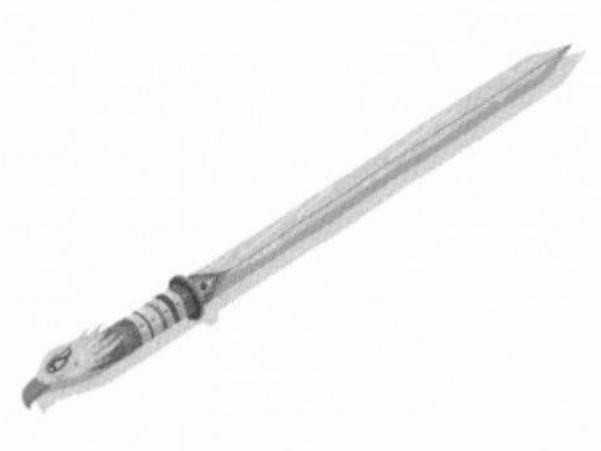

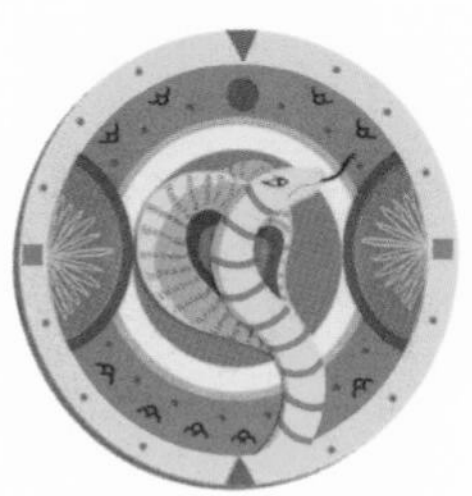

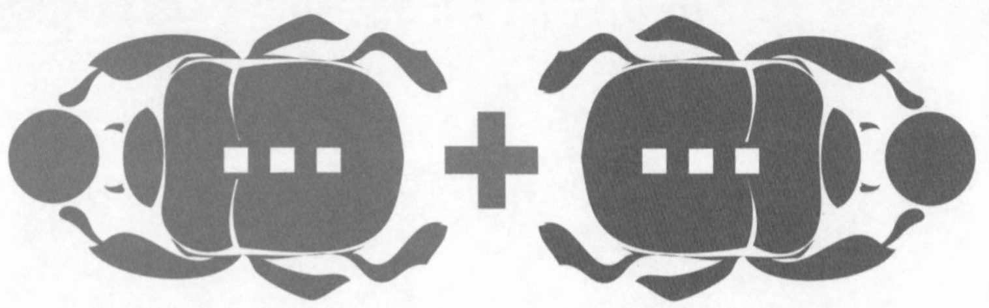

Tu essayes d'utiliser ces deux objets ensemble mais cela ne produit rien du tout, sinon de l'ennui. Bebti te sermonne car tu lui fais perdre son temps. Retourne à la page du livre d'aventure à laquelle tu te trouvais.

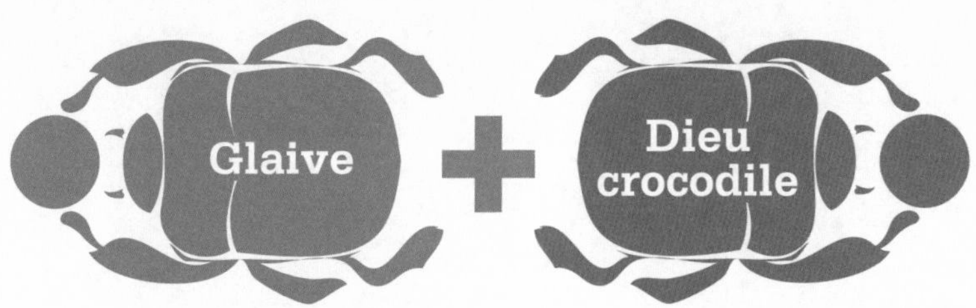

N'écoutant que ton courage, tu prends ton glaive à la main et sors de ta cachette. Le monstre crocodile ouvre un œil et, te voyant à nouveau devant lui, il se met en mouvement dans ta direction. Ton glaive commence à vibrer d'une folle énergie. Tu te sens devenir surpuissante, comme si tu étais une déesse. Gigantesque, le monstre crocodile déboule sur toi. Tu brandis fièrement ton glaive et ton bouclier. Une puissante et aveuglante lumière envahit la pièce. Le monstre, abasourdi, s'arrête net et s'enfouit sous le sable sans demander son reste. Tu l'as vaincu !

Rends-toi **page 103.**

Consciencieusement, tu poses la **torche** au sol et tu prends les **pierres à feu** en main. Pour créer une étincelle, tu les frappes l'une contre l'autre. TCHAK ! Une étincelle jaillit, touche la paille entourant la torche, qui se met aussitôt à fumer. Doucement, tu souffles sur la minuscule braise, la **torche** s'enflamme !

Bravo, tu sais faire du feu avec des silex ! Si tu veux continuer ton aventure en utilisant ta torche enflammée, rends-toi **page 5**.

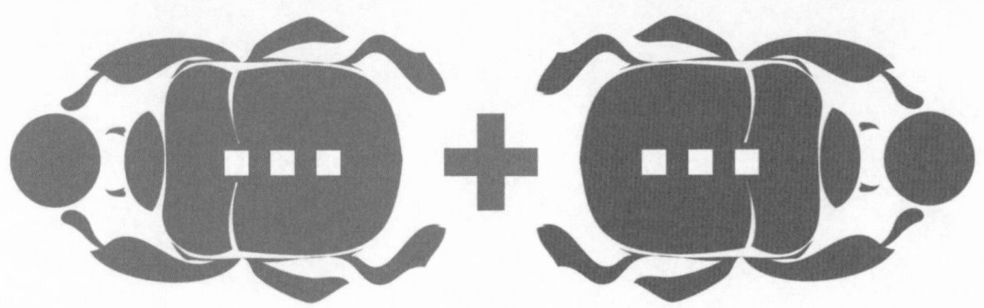

Tu essayes d'utiliser ces deux objets ensemble mais, étrangement, il ne se passe rien de particulier. Peut-être qu'ils ne sont pas faits l'un pour l'autre ? Tant pis, ce n'est pas grave… Essaye de combiner d'autres objets pour t'aider dans ton aventure. Sinon, tu peux reprendre ton aventure dans la pièce où tu te trouves, dans le livret d'aventure.

Le bijou de Cléopâtre à la main, tu te rends compte qu'il a la même forme que l'œil d'Horus gravé dans le trône. Tu l'y insères. Doucement, le trône se dérobe sur le côté et laisse apparaître un escalier dont les dernières marches semblent donner sur un couloir étroit, à peine éclairé par une lumière diffuse. Contente de ta trouvaille, tu appelles Bebti qui saute sur ton épaule.

Tu installes Cléopâtre près du trône et lui adresses un dernier regard attendri, puis, consciente qu'il ne te reste que peu de temps pour la sauver, tu commences à descendre l'escalier. Rends-toi **page 10.**

Tu cherches dans les replis de ta tunique l'Ankh que tu as trouvée un peu plus tôt. Tu en compares la taille à l'interstice que tu as décelé dans la porte. Tu l'y insères et décides de la tourner vers la gauche. Cela ne fonctionne pas. Tu la tournes vers la droite. Un léger déclic se fait entendre, un des battants de la porte s'entrouvre et laisse sortir un air fétide et chaud. Rends-toi **page 22.**

Pour passer le temps, tu sors de ta tunique la flûte que tu as trouvée dans la pyramide et tu commences à jouer cet air doux et joyeux que ton père jouait tous les soirs quand tu étais petite. Transportée dans tes souvenirs, tu te rappelles de lui, de sa sagesse, de sa gentillesse et de tout ce qu'il t'a appris. Cet amour que tu as pour ton prochain, ce besoin de soigner les pauvres et les malades, cette envie d'aimer et d'apprécier ceux qui sont différents, c'est de lui que tu les tiens.

Alors que la musique s'envole dans les airs, tu te rends compte que le dieu crocodile a fermé les yeux. Tu entends sa lourde respiration devenir plus lente, presque inaudible. Pas de doute, la bête s'est endormie.

Tu as vaincu ! Rends-toi **page 103.**

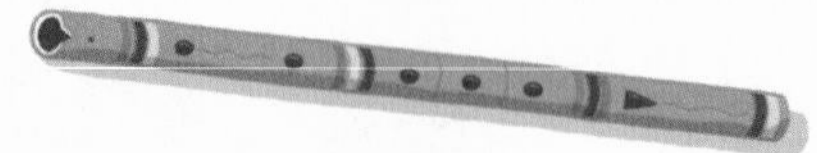

Tu détaches l'amulette en or de ton cou et tu l'insères dans l'espace réservé sur la porte. La porte en pierre glisse sur le côté. Devant toi s'étend, à perte de vue, le désert. Tu souris avant de partir en courant. Rends-toi **page 107.**

Le glaive en main, tu te places sous le rayon de lumière qui tombe sur le sol devant la grande statue du dieu Râ. Doucement, tu inclines l'arme afin qu'elle reflète le rayon, qui rebondit sur la surface métallique, projetant un rayon que tu peux diriger à loisir. Pendant quelques instants, tu fais courir le point de lumière sur les murs de la pièce, découvrant les magnifiques hiéroglyphes qui y racontent la vie quotidienne des dieux. Puis, te rappelant ta mission, tu orientes le rayon vers la statue du dieu Râ, et plus particulièrement vers le disque doré qu'il tient dans ses mains. La lumière l'éblouit, les yeux de la statue s'illuminent. Un craquement se fait entendre. Sur la statue, une pierre se dérobe qui révèle une petite ouverture. À l'intérieur, tu trouves un pendentif en forme de cercle solaire. Tu ne sais pas s'il te servira. En tout cas, cela fera un magnifique cadeau pour ta mère. Retourne **page 12**.

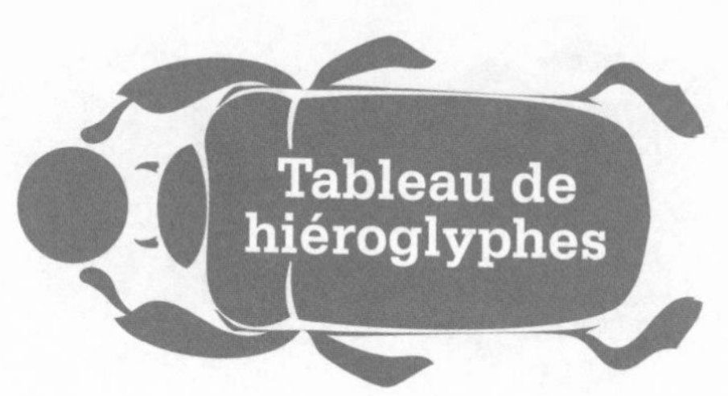

Tableau de hiéroglyphes

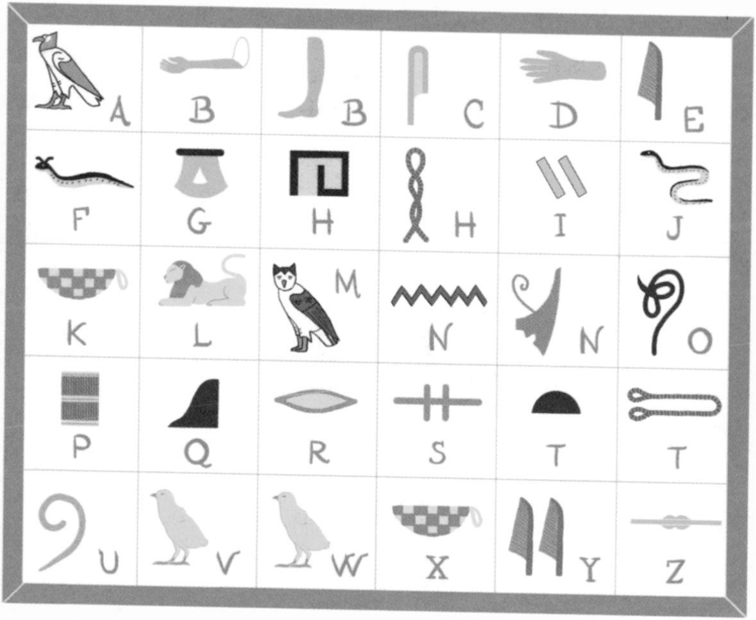

A	B	B	C	D	E
F	G	H	H	I	J
K	L	M	N	N	O
P	Q	R	S	T	T
U	V	W	X	Y	Z

Tu décides de faire concorder les hiéroglyphes du médaillon avec ceux de la fresque. Le médaillon ne comporte que trois signes et la fresque, une multitude. Tu peux te servir du tableau de hiéroglyphes **page 158** pour trouver le bon code. Tu peux appuyer sur la suite de hiéroglyphes que tu veux. Pour composer AMONET, rends-toi page **160**, AMOTEN, page **161**, TENOMA, page **162**.

Doucement, tu appuies sur la suite de hiéroglyphes qui forment le nom du dieu crocodile. Un déclic se fait entendre. Dans le mur, de petits trous apparaissent, des serpents rouge et noir s'en échappent. Bebti saute sur ton épaule et tu recules de quelques pas. Les serpents s'enfoncent dans l'obscurité du couloir.

Tu peux te servir du tableau de hiéroglyphes **page 158** pour trouver le bon code. Tu peux appuyer sur la suite de hiéroglyphes que tu veux. Pour composer TENOMA, rends-toi **page 162**, AMOTEN, **page 161**.

Doucement, tu appuies sur la suite de hiéroglyphes qui forment le nom du dieu crocodile dans le désordre. Rien ne se passe. Tu peux te servir du tableau de hiéroglyphes **page 158** pour trouver le bon code. Tu peux appuyer sur la suite de hiéroglyphes que tu veux. Pour composer AMONET, rends-toi **page 160**, TENOMA, **page 162**.

Doucement, tu appuies sur la suite de hiéroglyphes qui forment le nom inversé du dieu crocodile, comme sur le médaillon trouvé dans le bassin. Un déclic se fait entendre, un petit panneau de la fresque se dérobe et te laisse voir une **flûte en bois**, que tu prends avec toi. Rends-toi **page 11.**

ESCAPE

INVENTAIRE

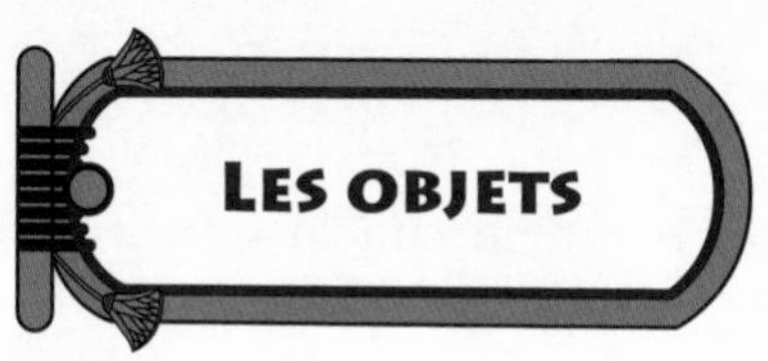

LES OBJETS

• **Amulette scarabée :**

Une belle amulette en or que tu portes autour du cou, un bijou majestueux qui t'a été offert par Cléopâtre elle-même.

• **Ankh dorée :**

Une Ankh est une croix égyptienne, qu'on appelle aussi « croix de vie ». Tu as déjà vu des prêtres l'utiliser pour éveiller des statues ou des golems.

• **Bouclier de Râ :**

Un magnifique petit bouclier étincelant. Il pourrait servir au cours d'un combat.

• **Dieu crocodile :**

Un gigantesque crocodile, aux crocs acérés et aux longues griffes ensanglantées.

• **Eau pure :**

De l'eau cristalline et bienfaisante. Très pratique pour éteindre un feu.

• **Flûte :**

Une petite flûte en bois toute simple.

• **Fresque de hiéroglyphes :**

Sur un pan de mur, une fresque de hiéroglyphes sur lesquels il est possible d'appuyer.

• **Glaive :**

Un superbe glaive égyptien. Il pourrait servir lors d'un combat ou être inséré dans un interstice très fin.

• **Médaillon d'Amonet :**

Un petit médaillon orné du nom du dieu crocodile.

• **Œil d'Horus :**

Une somptueuse pierre bleutée en forme d'œil et sertie d'or. Il permet de voir des choses invisibles à l'œil nu et de diriger les rayons lumineux.

• **Pierres à feu :**

Petits silex pratiques pour faire des étincelles et un feu, ou allumer une torche.

• **Porte en métal :**

Une belle porte grise en métal ornée de motifs égyptiens.

• **Porte en pierre :**

Une simple porte en pierre ornée d'un symbole de scarabée.

• **Rayon de lumière :**

Un rayon qui tombe du plafond. Tu ne peux pas l'emporter mais il sert forcément à éclairer quelque chose.

• **Torche :**

Un simple morceau de bois entouré de paille à l'une de ses extrémités. On doit pouvoir l'allumer pour qu'elle éclaire ton chemin.

• **Trône :**

Un sublime trône en or décoré de subtils motifs. Il est orné en son centre d'un œil d'Horus.

ESCAPE

LIVRET D'INDICES

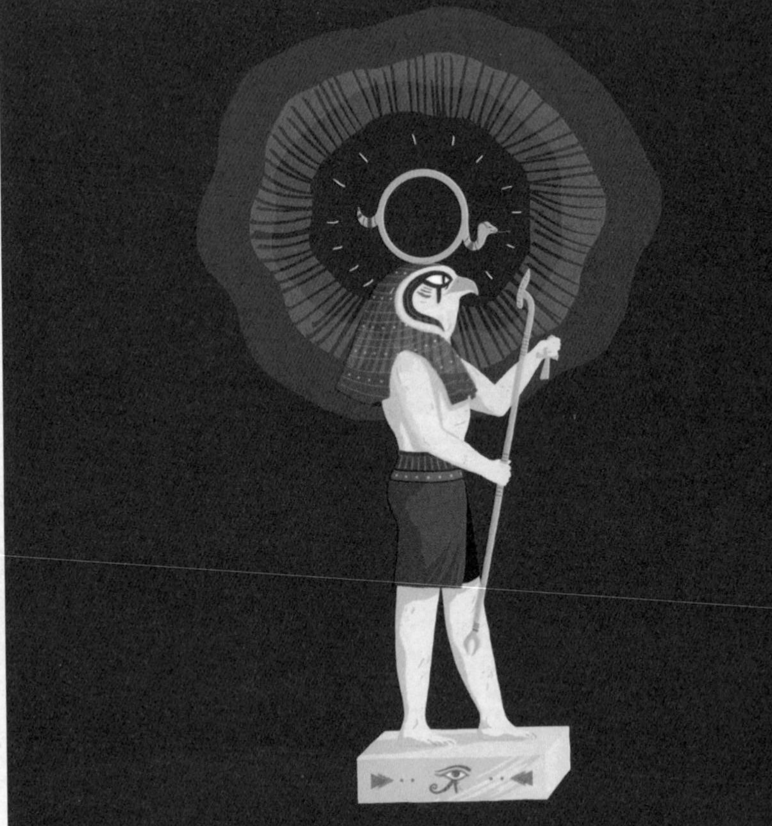

Page 166-1

Pour poursuivre ton chemin, tu dois dissoudre l'obscurité et faire triompher la lumière. Retourne **page 1** pour reprendre ton aventure.

Page 166-2

As-tu pensé à combiner deux objets ? Retourne **page 2** pour reprendre ton aventure.

Page 166-9

L'œil t'ouvrira la voie. Retourne **page 9** pour reprendre ton aventure.

Page 166-11

Sans la bonne combinaison, ta route sera plus longue. Retourne **page 11** pour reprendre ton aventure.

Page 166-12

Parfois, l'arme la plus puissante est un artefact de paix et de lumière. Retourne **page 12** pour reprendre ton aventure.

Page 166-15

Pour passer, il faudra t'armer de beaucoup de courage. Retourne **page 15** pour reprendre ton aventure.

Page 166-19

Parfois, il faut toucher le fond pour remonter vers la lumière. Retourne **page 19** pour reprendre ton aventure.

Page 166-38

Suis la règle de trois, sinon, tombe en bas. Retourne **page 38** pour reprendre ton aventure.

Page 166-39

Écoute ton cœur et fais un choix. Si ce n'est pas le bon, recommence. Retourne **page 39** pour reprendre ton aventure.

Page 166-47

Sais-tu où est le nord ? Retourne **page 47** pour reprendre ton aventure.

Page 166-66

Malheur à celui ou celle qui touche au trésor d'Amonet. Retourne **page 66** pour reprendre ton aventure.

Page 166-74

La musique adoucit les mœurs. Retourne **page 74** pour reprendre ton aventure.

Page 166-75

Ce qu'on cherche est parfois juste au bout de notre nez ou autour de notre cou. Retourne **page 75** pour reprendre ton aventure.

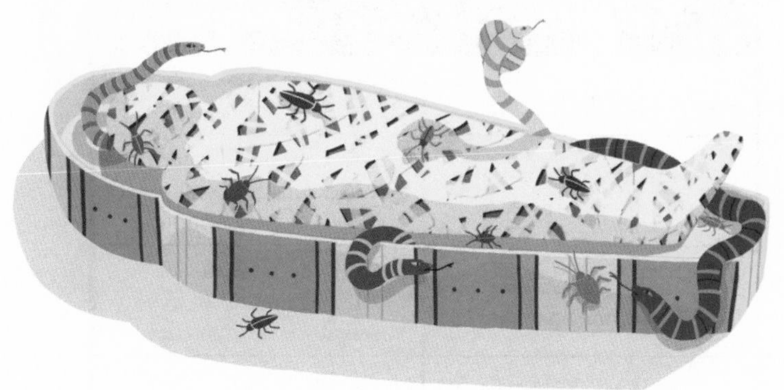

LES RÉCOMPENSES DE NYSSA

Nyssa et Bebti ont terminé leur aventure ! Bravo à toi ! As-tu bien accompli toutes les actions possibles dans ce livre ? Tu peux le vérifier ci-dessous et découvrir quelles récompenses tu as gagnées. S'il t'en manque, tu peux essayer de les obtenir en recommençant l'aventure depuis le début.

Tes actions	Tes récompenses
Tu as sauvé Cléopâtre ?	Bravo à toi, tu es digne de la confiance de la reine !
Tu as trouvé le pendentif en forme de cercle solaire ?	Tu sais jouer de patience pour dénicher tous les petits objets cachés dans la pyramide.
Tu as trouvé le code du labyrinthe en entier ?	Bravo à toi, tu es une enquêtrice et une observatrice de grand talent !
Tu as récupéré le dard du scorpion ?	Ton courage et ta témérité sont salués par Anyla, le chef de la garde rapprochée de la reine.
Tu as récupéré le bracelet en or de Tefnut ?	Félicitations, tu sais contrôler ta peur. Tu es prête pour une nouvelle aventure !
Tu as trouvé la page secrète ?	Ton sens de l'observation est salué par ton maître. Il n'hésitera pas à te confier de nouvelles missions.